最新 AI・デジタル業界大研究

AI・デジタル産業研究会［著］

はじめに

２０２０年に入ってから猛威を振るい、世界中へ一気に広まった新型コロナウイルスは、人びとの生活に数々の劇的な変化をもたらした。ビジネス界での特に大きな変化は「リモートワーク（テレワーク）」が一気に普及したことだ。リモートワークはインターネットが普及しはじめた約20年前から情報関連産業を中心とする新しい考えを持つ企業が注目しはじめ、昨今における日本の「働き方改革」にも後押しされて導入企業が増えた。しかし、実際に行っている企業は全体の中ではかなり少数という状態が長い間続いていた。

ところが今回のコロナ禍で状況は一変し、大企業を中心とする多くの企業がリモートワークを制度化して実際に導入し、今後も継続して行っていくという方針を掲げた。新型コロナウイルスの感染を予防するだけでなく働く人たちの通勤ストレスをなくし、業務効率をあげ、仕事とプライベートの両立をうながすなどの効果も期待されている。企業側には社員の通勤交通費やオフィス賃料などの負担が減るというメリットも生まれている。

コロナ禍という予期せぬ社会危機により突如広まったリモートワークだが、今から20年前であれば、リモートワークはこれほど急速に普及できなかっただろう。２０１０年代になってクラウドの技術とサービスが世の中に広まり、大容量の映像や音声をリアルタイムで距離的に離れた他人と簡単に共有できる仕組みが実現したからこそ、コロナ禍の混乱のなかでも、わずか数ヵ月でリモートワークは日本の労働環境に浸透したと言える。

クラウドによって多くの人がリモートワークできる環境となり、それによって救われた命は非常に多かったはずだ。外出しなくてもネットで商品を購入でき、手元に届くというオンラインショップを利用して、そのありがたみを改めて実感した人も多いだろう。コロナ禍によって私たちは、ＩＴ技術の力を再認識することとなった。

私たち日本人は、ＩＴ技術に支えられ日々の生活をしている。パソコン（パーソナルコンピュータ、ＰＣ）もインターネットもスマートフォン（スマホ）も、銀行のＡＴＭも電車の自動改札も、コンビニのレジも医療機器もすべてＩＴ技術なしには成り立たない。ＩＴ技術は人の暮らしを便利にするだけでなく、社会の衛生や安全を保ち、人命や環境も守っている。ＡＩやＩｏＴ、クラウドといった新しいＩＴ技術の進化は目覚ましく、暮らしの質は今後さらに大きく向上する可能性を秘めている。

ただし、ＩＴのことをよくわからず、使いこなすことができなければ、私たちは新しいテクノロジーの恩恵を受けるのが難しくなる。社会のさまざまな課題、たとえば貧困や紛争、差別などもＩＴを駆使して解決できるものが多くある。ＡＩやＩｏＴ、クラウドといったＩＴ技術を知ることは、人間の明るい未来を描くことにつながると私たちは考える。本書をつうじて多くの方がＩＴに興味を持ち、ご自分や周囲の人たち、ひいては社会全体の豊かで幸せな暮らしを描くことにつながったら幸いである。

２０２１年１月

ＡＩ・デジタル産業研究会一同

目次

Chapter 3

AI・デジタル業界のキーワード

Chapter 4

AI・デジタル業界の仕事とキャリア

Chapter 5 AI・デジタル業界の主要・注目企業

Chapter 6

AI・デジタル業界の仕事人

Chapter 7

AI・デジタル業界に入るには

カバーデザイン：内山絵美（有）釣巻デザイン室）
本文デザイン：野中賢（株）システムタンク）

Chapter1

ＡＩ・デジタル業界の基礎知識

Ⅰ　AI・デジタル業界とは

時々刻々と進化する情報関連産業
従来の業種分類ではとらえにくい面も

情報関連やインターネット関連、通信関連の業界は、他の業界に比べてその全体像を理解するのが難しいと言われる。その一因はビジネスの進化が特に速く、会社が数年、時には数カ月単位で変化を遂げているからではなかろうか。たとえば、日本におけるインターネット関連の代表的な企業、楽天を例にとってみよう。インターネットビジネスの黎明期、今から約20年前の2000年あたりのビジネスシーンを知る人なら、楽天はそもそも「ECサイトの運営」からはじまっていて、世間的にも「ECの会社」というイメージが強かったのはご存じだろう。

しかし今はどうか。銀行や証券など金融サービスにも参入してすでに実績を出し、楽天モバイルという通信会社も立ち上げた。ECサイト運営は同社の重要な事業の1つであるとはいえ、現在ではさまざまなビジネスを手がけていて、設立当初のように「楽天はECの会社だ」と一言で言うのは難しい。

それでは楽天は一体どんな会社なのか。あえて説明しようとするなら、「インターネットをはじめとしたデジタル技術を活用してさまざまなサービスを展開している大企業」となるだろう。楽天と同じく、日本におけるインターネット関連の代表企業、ヤフーは現在ではソフトバンクグループの傘下にある。ソフトバンクグループに関してはCMでも知られるとおり通信事業を運営しているが、グループ傘下にはあらゆる業種のさまざまな会社があり、楽天と同じくさまざまなビジネスを多角展開している。ソフ

就転職で必ずおさえておきたい基礎知識

業界の基本用語

①IT　②ネット/Web　③ソフトウェア　④ハードウェア
⑤通信インフラ/インターネット/ITインフラ
⑥ユーザー　⑦ベンダー　⑧ソリューション　⑨コンテンツ
⑩プラットフォーム　⑪デバイス　⑫アプリ
⑬メディア

など

業界の会社分類

①IoT　②ITコンサルティング
③ソフトウェア・クラウドサービス　④EC
⑤情報ポータルサービス　⑥オンラインコミュニケーションズ
⑦通信　⑧ネット広告
⑨フィンテック　⑩ニューテクノロジー（AI/次世代自動車/VR/RPA/宇宙開発）

など

業界の最新キーワード

①DX（デジタルトランスフォーメーション）　②AI（人工知能）　③クラウド
④IoT（Internet of Things）　⑤ビッグデータ　⑥テレワーク（リモートワーク）
⑦5G　⑧エッジコンピューティング　⑨自動運転
⑩GAFA　⑪スーパーアプリ　⑫オンライン教育
⑬キャッシュレス　⑭量子コンピュータ　⑮生体認証
⑯RPA　⑰デジタルマーケティング　⑱FinTech（フィンテック）
⑲AR/VR/MR　⑳ブロックチェーン　㉑デジタル庁

など

トバンクグループは通信会社だというのが世間的なイメージだが、やはり同社も「通信をはじめとしたデジタル技術を活用してさまざまなサービスを展開している大企業」となる。

学生・社会人の人気企業として長年ランキング上位のリクルートも、もともとは1960年代に広告業をメインとして事業をスタート。その後出版業、人材業を筆頭に次々と事業拡大し現在ではデジタルやAIなどのテクノロジーを活用し、他社のM&Aを積極的に行うなどして、アメリカIT大手企業を意識しつつデジタル企業としての進化に邁進している。

情報関連産業は、たとえば広告、出版、マスコミ、音楽、IT、メーカーなど従来の業種分類で会社をカテゴライズするのがますます難しくなっている。テレビ局は従来の地上波だけでなく、現在はネット配信事業に力を入れている。音楽会社はCD・レコード販売やコンサート運営だけでなく、昨今はネットでのコンテンツ販売や映像配信に力を注ぐ。マスコミ業界や音楽業界の会社も、今後は新しいテクノロジーを積極活用して事業のデジタル化を推進しなければ生き残れない。

これが今、ビジネス界で声高に叫ばれるDX（デジタルトランスフォーメーション）だ。デジタルやAIの技術を駆使して、これまでの事業形態や収益の仕組みにこだわることなく、新しいビジネスモデルやサービスを構想し、実現していく必要がある。自社の強みを明確に持ちつつも、従来の業種分類にこだわらず、世の中が本当に求めるサービスを追求し続ける会社が勝ち残るのかもしれない。

そこで本書は、AIやデジタルをはじめとした情報関連のテクノロジーを積極的に駆使して事業を展開する会社を「AI・デジタル系の会社」と定義し、AI・デジタル業界の会社群として紹介していく。情報技術に強いメーカーやシステム開発会社、ITコンサルティング会社はもちろんのこと、従来の業種分類なら金融や広告、マスコミ、出版、音楽などに分類される会社も含まれる。

業界理解のため取り組みたい3つのポイント

自動車やおカネとは違い、情報は目に見えないモノだ。だからこそ基本用語をおさえ、その意味をそれなりに正しく理解しておくのがよい。専門家でないなら、それほど厳密に知っておく必要はない。また、意味をよくわかっていないとしても、大切な言葉を知っているだけで違う。仮に業界の人と話すことになっても安心感があるし、話をしているうちになんとなくわかってきたりする。次に業界の会社をいくつかに分類して整理するのがよい。会社の仲間分けだ。ＡＩ・デジタル業界は全ての会社を一括りにはできない。しかしいくつかのカテゴリーに分け、そのカテゴリーごとに見ていくと整理できてくる。

最後に、業界で注目の最新キーワードをおさえること。新しい技術やサービスが毎日のように次々と登場している。またそれと同時に、消えていくキーワードも非常に多い。「ＡＩ」や「ＩｏＴ」「クラウド」といったキーワードは、10年前には注目されていなかったが、今やメディアに取り上げられない日はない。完璧に理解できなくても何となくは知っておきたい。実際には業界に長年いる人であっても、最新の技術やテーマ、ビジネスについてはよく理解できていない、または単に言葉だけを知っているケースも少なくはない。業界のベテランも油断すれば勉強熱心な若手に追い抜かれる。逆に言えば、それだけ若い人にもチャンスがある。

1つのところに止まっているものは、理解しやすい。しかし、退屈とも言えるかもしれない。ＡＩ・デジタル業界は、確かにわかりやすいとは言えない。逆に言えばだからこそ面白い。絶えず激しく変化し、進化している。ＡＩやＩｏＴ、クラウドといった新しい技術を深く理解するのは容易ではないが、困難な社会問題の解決に役立つものも多く、それらを理解することで新しいビジネスを思いつくかもしれない。人や社会の未来をもっとよくする新しいサービスの誕生に関わり、立ち会えるチャンスもたくさんある。一見とらえどころがなく、とっつきにくいけれどだからこそ関わる価値がある。

2 AＩ・デジタル業界を理解するための基本用語

まずこれだけはおさえたい厳選13ワード

AＩ・デジタルに関する言葉は、全てまとめあげると1冊の辞書ができてしまう。新しい言葉は、毎日のように増えていく。知識欲旺盛な業界人や、勉強熱心な人ならともかく、業界に詳しくない一般の人や、業界に入りたての人であれば、次々に出てくるわけのわからない横文字に正直うんざりすることも多いだろう。

「バズワード（buzzword）」という言葉がある。世の中に登場したばかりで定義があいまい、しかも実際にそれほど大きな価値がないのに、人の興味をひいたり、立派に見せたりするために使われる、意味のよくわからない専門用語のことだ。

今では大変重要なキーワードとして、業界内ではもちろん、社会全体で広く使われている「ビッグデータ」や「クラウド」という言葉も、数年前は「バズワードだ」という人たちが多くいた。その一方で、十数年前に業界で脚光を浴びた「ユビキタス」という言葉は、一般にはあまり普及せず終わったような印象もある。

ＩＴ博士になれたら、確かに知識はいろいろと役立つだろう。しかし、なんでもかんでも覚えようとするのは時間のムダだし、その必要もない。生半可な知識のままでもよいから業界に入り、体当たりで仕事をしつつ覚えていったほうが効率的だし、面白いといえるかもしれない。

自分の仕事に必要な専門用語というのは、実はそれほど多くない。重要ではない言葉が9割以上を占めている。システムエンジニアやＩＴコンサルタント、Ｗｅｂプロデューサーのように、専門性の高い仕事をしている人でも実際はそうだ。

商談や打ち合わせの場で相手に良い印象を持たせたり、話の流れを優位に進めたりするため、使う必要のない専門用語をあえて使う人もいる。自分の知らない、聞いたことがない言葉が出てきても、ひるむ必要はない。まず必要最低限の知識をしっかりと自分のものにすること。そして、すでに持っている基本知識を総動員することだ。

本質を見極めることが大事だと思う。雑多な情報の中から、必要なものだけをピックアップし、それを深く正しく理解すること。新しい技術や製品、サービスは次々に登場するが、それをやみくもに受け入れたり、惑わされたりする必要はない。業界で活躍するため、まず必要最小限の武器となる基本用語を13ワード厳選した。

①ＩＴ

ＡＩ・デジタル業界を理解するためには、そもそも「ＩＴとは何か？」からよく知っておきたい。多くの人にとって、すでに聞きなれた言葉かもしれないが、一度よく調べてみよう。

まずＩＴとは、「Information Technology（情報技術）」の略。情報を処理したり、伝達したりするための技術だ。そういうと、「本や出版、伝言や伝書鳩さえも情報技術ではないか」という話になるが、一般的にＩＴというのは、あくまでデジタル（電子）データが対象。つまり、ヒトの声や紙などではなく、パソコンやスマートフォン、タブレットなどの電子機器でやりとりする情報のこと。ＩＴという言葉は、１９５０年代にアメリカで初めて登場し、その後電子機器がめざましい発達をとげたことにより、１９９０年代に世界で広く使われはじめたと言われている。

ちなみに日本では、会社でコンピュータを使って電子データを活用することを、従来は「情報処理」「ＥＤＰ（Electronic Data Processing）」などと呼んでいた。しかし、１９９０年代半ばに時代が大きく動いた。Windows95が登場し、インターネットが爆発的に普及しはじめたことによって、企業や官公庁だけでなく、一般の人びともコンピュータを利用するようになり、パソコン１人１台が珍しくはなくなった。

このような社会の変化を受けてＩＴという言葉も普及し、業界は一気に進化のときを迎える。ＩＴを活用した新しいサービスが次々に生まれ、若い起業家がＩＴビジネスを興すベンチャーブームも到来。業界の景気がにわかによくなり、１９９０年代末期に「ＩＴバブル」が起こる。「ＩＴで社会を変える」という意味の「ＩＴ革命」は２０００年の流行語大賞に選ばれた。

②ネット／Ｗｅｂ

ネットという言葉は、いまや子どもからお年寄りまで知っている。また、それとほぼ似たような意味の言葉として、Ｗｅｂ（ウェブ）がある。ネットとＷｅｂは、そもそも何が違うのだろうか。

まずネット（インターネット）とは、世界中のコンピュータをつないでいるネットワークのこと。インターネットというネットワークがあるからこそ、私たちは毎日パソコンやスマホ、タブレットを使ってメールを送ったり、チャットができたり、Ｗｅｂサイトを見ることができたりする。

次にＷｅｂとは何か。Ｗｅｂは、「World Wide Web（ワールド・ワイド・ウェブ）」の略だ。インターネットを通じて文章や画像、映像などのデータを送受信するためのしくみを指す。

このように厳密な違いはあるものの、一般的にはほぼ同じ意味で区別なく使われていることも多い。たとえば企業のホームページを見ることを、「ネットを見て～」とも「Ｗｅｂを見て～」とも言う。どちらも間違いではない。しかし業界内では、たとえば「ネットを見て～」というよりも、現在では「Ｗｅｂを見て～」ということが多いだろう。私たちが

必ずおさえたいキーワード13

① IT

② ネット／Web

③ ソフトウェア

④ ハードウェア

⑤ 通信インフラ／インターネット／ IT インフラ

⑥ ユーザー

⑦ ベンダー

⑧ ソリューション

⑨ コンテンツ

⑩ プラットフォーム

⑪ デバイス

⑫ アプリ

⑬ メディア

見ているのは、ネット上にあるWebサイトであり、正確にはネットを見ているわけでない。

最近では、インターネットで決済をしたり、電子書籍や音楽、映像を楽しんだり、スマホゲームをしたり、チャットや電話をしたり、EvernoteやDropboxなどのアプリを利用したりしている。単にWebサイトにアクセスして情報を得るだけではなく、受けられるサービスはますます増えている。そんななか、ネット業界に代わる呼び方として、「デジタル業界」といった言葉が最近は出てきている。

③ソフトウェア

■意外にシンプルなコンピュータのしくみ

AI・デジタル業界に関わるなら、必ず理解しておきたいのが「ソフトウェア」「ハードウェア」という2つの言葉。それに加えて近年では、「ITインフラ」という言葉もよく使われるようになっている。ここからは、以上3つの重要キーワードを解説していこう。

今の日本では、子どもからお年寄りまであらゆる世代の人たちが、IT・ネットなしでは考えられない生活をしている。スマホで行きたい店をすぐ見つけられるのも、ネットで欲しいものが買えるのも、銀行のATMで24時間お金を引き出せるのも、全てIT・ネットの力によるものだ。

IT・ネットと聞いて、まず思い浮かぶのがパソコンやスマートフォン、タブレットなどの電子機器。パソコンやスマホがなければ、私たちはメールやホームページを見ることができないし、家族や知人とのチャットもできない。フェイスブックやツイッターも使えない。パソコンやスマートフォンをはじめとする電子機器があるからこそ、私たちはIT・ネットを自分たちの暮らしに活かせるのだ。

ところで、パソコンやスマートフォン、タブレットなどの電子機器、つまりコンピュータはどんなしくみでできているのだろう。調べはじめるときりがなく、また専門技術者でなければ細かく知る必要もないので、ここでは簡潔に理解したい。コンピュータは、「ソフトウェア」と「ハードウェア」からできている。複雑に思えるが、そのしくみは意外にもシンプルだ。

■ソフトウェアがなければ、コンピュータは「ハコ」

パソコンやスマートフォンなどのコンピュータ機器は、精密な電子部品が集まってできている。しかしそのコンピュータの中にソフトウェアが入っていなければ、私たちにとってそれは、単に精密部品の固まりにすぎない。ハードウェアという「ハコ」の中に、ソフトウェアが入って初めて役に立つ。

ソフトウェアとは、コンピュータにある特定の仕事をさせるための実行手順、いわば「命令文」の集まり。ソフトウェアがないと、どんなに優れたコンピュータも動かない。ソフトウェアは、コンピュータにいわば「命」を吹き込むのだ。ちなみにその命令文が、いわゆるプログラム。プログラムを書く仕事をしている人を、プログラマーという。

パソコンやスマホでメールを送受信したければ、メールソフトがいる。ゲームで遊びたければゲームソフトがいる。文書をつくりたければ、Word のような文書作成ソフトがいる。図表をつくりたければ、Excel などの表計算ソフトが必要だ。ソフトウェアは、細かく分類すると本当にさまざまなモノがあるが、大きく分けると次の3種類。この3つは必ずおさえたい。

■「アプリケーション」「オペレーティングシステム（OS）」

一般の人にとって、一番身近なソフトウェアといえばアプリケーションだ。おなじみの文書作成ソフトの Word や表計算ソフトの Excel も、全てアプリケーションの一種。コンピュータに何か特定の仕事をしてもらおうと思えば、そのためのアプリケーションが必要だ。

Word や Excel は個人向けのアプリケーションだが、法人向けのものもある。その代表といえばERP（Enterprise Resource Planning）。会計・販売・人事給与など会社運営に必要となるさまざまなアプリケーションをひとまとめにしたもので、多くの企業が利用している。

次に、これも聞いたことのある人は多いと思うが、オペレーティングシステム（OS、オーエス）と呼ばれるソフトウェアがある。アプリケーションは、文書作成や表計算のように何か特定の仕事をコンピュータにさせるもの。それに対してオペレーティングシステムは、キーボードやマウス、タッチパネルから入力を受けつけたり、画面に文字や画像、映像などの情報を表示したり、そういった基本的な動作をコンピュータにさせるためのものだ。

パソコン用のオペレーティングシステムとしては、マイクロソフト社が開発したWindowsや、アップルのmacOS、iOSなどだ。

④ハードウェア

■カタチがある「ハードウェア」、カタチのない「ソフトウェア」

パソコン、スマホ、タブレットなどのコンピュータ機器は、「ソフトウェア」「ハードウェア」という2つの要素から成り立っている。そう考えると、IT機器は難しく見えてもシンプルなしくみ。ここではハードウェアについて説明する。

コンピュータ機器は、処理装置、記憶装置、入出力装置、電子基板、ケーブル類、筐体《きょうたい》などのさまざまな部品・部材が組み合わさってできている。これらの「カタチがある」物理的実体、俗に言う「ハコ」の部分をハードウェアという。それに対して、カタチのない部分が先に説明したソフトウェアだ。

コンピュータ以外でも、建物や設備などの目に見えるモノを「ハード」と呼ぶ。それに対して、その施設や設備の中で催されるコンサートやイベント、舞台などの公演を「ソフト」と呼んだりする。

■パソコン（PC）

ハードウェアは、大きく分けて4種類ある。「パソコン（PC）」「スマートデバイス」「サーバー」「周辺機器」だ。まず、おなじみのパソコン。これは、一般の人が日常生活や仕事で使えるようにつくられた個人向けコンピュータのことを指す。家電量販店に行けば、各メーカーがつくったパソコンがずらりと並んでいる。ちなみに、日本の主要パソコンメーカーはブランド名とともに覚えておきたい。東芝（dynabook など）、ＮＥＣ（LAVIE など）、富士通（ＦＭＶなど）、エプソンダイレクト（Endeavor など）、ＶＡＩＯ（ＶＡＩＯなど）、パナソニック（Let's note など）だ。

また最近では、海外製のパソコンを使っている人もかなり多い。日本で人気の高い海外のメーカーとしては、台湾のＡＳＵＳ（エイスース）・ＡＣＥＲ（エイサー）、アメリカの Dell（デル）・ＨＰ（ヒューレットパッカード）、中国の Lenovo（レノボ）の5社。マウスコンピューターをはじめとする新興メーカーも注目されている。

■スマートデバイス

個人用のコンピュータ機器として、いまやパソコンよりも重要な存在となっているのが、スマートフォンやタブレットなどのスマートデバイスだ。スマートデバイスとは近年登場した新語であり、その定義はまだ明確にはなっていない。しかし業界的には、Ｗｅｂを閲覧できてチャットやメールもでき、アプリも使えて電話もできる、スマートフォンやタブレットなどの多機能携帯端末を指すのが一般的だ。

スマートデバイスの代表格であるスマートフォンは、すでにパソコンよりも普及が進んでいて、日本では1人1台以上、なかには数台持っている人も珍しくない。

ちなみにスマートフォンのメーカーとして国内で人気が高いのは、まずアップル。続いてソニー、京セラ、シャープなどの日本メーカーに人気がある。それから、韓国メーカーのサムスン電子。なお現在、ファーウェイや小米（シャオミ）などの中国メーカーの追い上げが激しく、スマートフォンメーカーの戦いはさらに激しさを増している。

■サーバー

先に説明したパソコンは、パーソナル・コンピュータの略。つまり、個人用に開発されたコンピュータだ。小型で便利、しかも低価格だが、大規模な会社の業務はとてもパソコン1台では処理しきれない。大量のデータを処理したり、管理したりするためには、より高性能なコンピュータが必要だ。個人向けの小型コンピュータであるパソコンに対して、法人（会社）向けの大型コンピュータといえば、その代名詞となるのがサーバー。サーバーは、多数のパソコンをつないでコンピュータネットワークをつくったり、大量のデータを保存したりできる高性能のコンピュータ機器。パソコンと同じように、サーバーも国内外のさまざまなメーカーが開発し、販売している。サーバーのメーカーとして有名な日本の会社は、ＮＥＣ・富士通・日立製作所の３社。また、日本で人気が高い外資系のサーバーメーカーは、日本ヒューレットパッカード（ＨＰＥ）とデル テクノロジーズだ。

■周辺機器

自宅には、パソコンだけでなくプリンタがあるという人も多いだろう。プリンタは、コンピュータの機能を補完する周辺機器の代表格。また、企業なら大量のデータを保存するためのストレージも利用しているだろう。ストレージも周辺機器の一種だ。さらに、コンピュータ同士を接続させるためのネットワーク機器もある。

主な周辺機器はこの３つ「プリンタ」「ストレージ」「ネットワーク機器」だと覚えておこう。ちなみにプリンタやＦＡＸ、スキャナなどさまざまな機能を持つオフィス用の高性能ＩＴ機器を「複合機」と呼ぶ。

⑤通信インフラ／インターネット／ITインフラ

■通信インフラ

今私たちの生活は、パソコンやスマホ、タブレットなしでは考えられないものになっている。パソコンでレポートを書き、スマホでチャットをし、タブレットで本を読んだりしている。仕事でもプライベートでも、他人とコミュニケーションをとったり、チームワークを発揮したりするには、パソコンをはじめとするＩＴ機器が欠かせない。しかしパソコンやスマホ、タブレットを持っていても、それ１台ではできることが非常に限られる。ＩＴ機器を通じて、他者とつながる（通信する）しくみが必要だ。

そこでまず理解したいのが、通信インフラだ。通信インフラといって、すぐに思い浮かぶのは電話回線。その他にも、インターネットを支える光ファイバーや海底ケーブル、携帯電話に欠かせない無線通信などがある。ちなみにインフラとは、道路や橋、病院や学校、電気や水道など、私たちが生活する上で欠かせない基盤（Infrastructure、インフラストラクチャー）のこと。パソコンやスマホ、タブレットを使って他人とつながる通信のしくみは、現代生活を支える重要なインフラの1つと言っても過言ではない。そしてこの通信インフラを、世の中に提供しているのが通信業界だ。

俗に「キャリア」と呼ばれる第1種通信事業者、おなじみのＮＴＴ、ＫＤＤＩ、ソフトバンクの3社が非常に重要。通信業界にはその他にもさまざまな企業があるが、この3社は必ずおさえたい。なお通信業界はＡＩ・デジタル業界と密接な関係にあり、人材の交流も活発だ。

■インターネット

先に述べたとおり、パソコンやスマホ、タブレットを使って他人とコミュニケーションをとるには通信のしくみが必要だ。そのしくみの1つとして、大変重要なのがインターネット。インターネットとは世界中のコンピュータが通信回線でつながっていること。つまり、世界の隅々にまではりめぐらされたコンピュータ同士のネットワークを指す。１９９０年代半ばに、インターネット上で文書や画像などのデータをやりとりできるＷｅｂのしくみが開発されると、インターネットが企業や家庭で爆発的に普及し始め、Ｗｅｂを活用したさまざまな新しいサービスが世の中に登場した。

ネット業界が誕生したのは１９９０年代半ばのこと。ネット業界の代表企業である楽天が設立されたのも、１９９７年だ。生まれて約20年あまりの新しい業界だと言える。30代後半から40代前半の俗に言う「アラフォー」の若手社長が多数活躍しているのも、業界ならではと言える現象。現在アラフォーの人たちが、学校を卒業して社会人になったちょうどその頃にネット業界ができたのだ。

ネット業界を理解するには、インターネットという技術的なしくみを知ることも大切だが、それ以上に、インターネットに関連するさまざまな会社を整理して頭に入れると役に立つ。楽天やアマゾンなどのＥＣ関連、２００５年以降急速に存在感を増したフェイスブックやツイッター、ミクシィなどのＳＮＳ関連も見逃せない。サイバーエージェントをはじめとするネット広告関連、ＳＢＩ証券やマネックス証券などのネット証券関連も重要だ。

ちなみに昨今では、Ｗｅｂ上で何かサービスを提供することを「Ｗｅｂサービス」と呼ぶ。Ｗｅｂサービスとひと言で言っても、本当にいろいろな種類がある。

■ITインフラ

ＡＩ・デジタル業界にいると、インフラという言葉を大変よく耳にする。特に技術系の人であれば、仕事の場だけでなく、就職や転職の際にもよく聞くだろう。就・転職市場において「インフラエンジニア」は業界の主要職種となっている。何を指しているのか、よくおさえておきたい。

私たちがＩＴを利用する際、パソコンやスマホ、タブレットなどのＩＴ機器は欠かせない。しかし機器が１つだけあっても、できることは限られる。コンピュータを通じて他の人とさまざまな情報をやりとりするには、コンピュータ同士をつなげるしくみが必要だ。それが、たとえば電話回線や光ファイバー、無線通信などの通信インフラだったり、インターネットだったりする。

コンピュータを個人ではなく法人（会社）で利用するシーンを考えてみよう。まず、社員同士が情報をやりとりするためには、それぞれのパソコンをつなげて「ネットワーク」を構成しなければならない。コンピュータ同士をつなげる役目を果たす「ＬＡＮスイッチ」や「ルーター」、「レイヤー３スイッチ」などが、いわゆるネットワーク機器と呼ばれるものだ。

また、会社のような大きい組織の場合、パソコンのようにコンパクトな個人用ではなく、もっと大量のデータを高速で処理するための高性能コンピュータが必要だ。それがまさに、サーバーと呼ばれるようなもの。そのほか、最近は自社のサーバーをデータセンターという専用の施設に預ける会社も増えている。このようにパソコンやサーバー、ネットワーク機器、データセンターなどを必要に応じて組み合わせ、会社全体がＩＴを最大限に活用できるようにつくられた環境のことをＩＴインフラという。

そして、そのＩＴインフラを設計したり、構築したりする仕事をしているのがインフラエンジニアだ。

⑥ユーザー

ＡＩ・デジタル業界にいると、「ユーザー」という言葉を聞かない日はない。そう言っても言い過ぎではないくらい、業界内で頻繁に使われる言葉だ。その意味や使い方を、必ずチェックしておきたい。

ユーザーとは、英語「user」をそのままカタカナにしたもの。「使う人、利用者」という意味だ。しかしながら、業界特有の言い回しや使い方があることに注意したい。

「Ｗｅｂサイトのユーザー」というフレーズを聞いたことがある人は多いだろう。これはつまり、ウェブサイトを利用している人、という意味。「システムのユーザー」も同じ。しかし、ここで注意が必要なのは、ユーザーが人間ではないかもしれないということ。システムのユーザーというと、システムを利用する個人ではなく、法人（会社）を指していることも多い。業務用のシステムをつくっている会社の営業担当者が、「当社のユーザーは～」と言った場合、それはおそらく取引先企業のことを指している。

ユーザーが人であるか、会社であるかを区別するため、それが会社の場合は「ユーザー企業」と言ったりすることもある。また、情報システム部門の社員が、自社の社員を「ユーザー」と呼ぶことも多い。つまり、「自分たちが管理しているシステムを使っている社内の人たち」という意味だ。このようにユーザーは、時と場合によって指しているものが違う。聞きなれた言葉だからといって軽視せず、「誰を、何を指して言っているのか」を考えて使いたい。

⑦ベンダー

「ユーザー」という言葉は、一般的にも使われることがある。しかし「ベンダー」となると、日常生活の中で耳にすることはおそらくないだろう。一般的には使われることがほとんどないが、業界では大変よく聞く。「ベンダー」はそんな言葉の代表格だ。

ベンダーとは、英語「vender」をそのままカタカナにしたもの。「売る人、売り手」という意味の単語だ。こちらも「ユーザー」と同じで、基本の意味を理解するのはそれほど難しくない。しかし注意すべき相違点が1つある。AI・デジタル業界ではベンダーが人を指すことはまずない。ベンダーとは通常何かの製品やサービスを提供している会社のことを言う。

「ITベンダー」「ソフトウェアベンダー」「ハードウェアベンダー」「ネットワークベンダー」「パッケージベンダー」など、いろいろな単語にやたらとベンダーがくっついてきて、初めて聞いた人は困惑することも多いだろう。しかし、シンプルに考えればよい。何を提供しているかが違うだけだ。ちなみにベンダーといっても、販売会社とは限らない。つくって売る、つまりメーカーもベンダーという。何かの製品やサービスを提供している会社を全てベンダーと呼ぶ。

世の中にはメーカーとして広く知られる日立、NEC、富士通の3社も、IT製品をつくり、自分たちで売ってもいるので、業界では「大手ITベンダー」と言ったりする。ちなみに、ベンダーの反対語が先に説明したユーザーだ。製品やサービスをつくって売るのがベンダーで、それを買い、利用するのがユーザー。ベンダーとユーザー、その二者に分けて業界を考えてみるのもわかりやすい。

⑧ソリューション

「ベンダー」と同じく「ソリューション」も、業界でよく使われる言葉の1つだ。ソリューションとは、英語「solution」をそのままカタカナにしたもの。直訳すると、『解決策』となる。「ITソリューション」「システムソリューション」といったフレーズは、業界で大変よく聞く。「ソリューション」を社名の一部にしている会社も非常に多い。それだけ業界人が好きな言葉だと言える。

ソリューションという言葉を初めて突きつけられても、それほど身構える必要はない。なぜなら、なんらかの製品やサービスを具体的に指している場合が多いからだ。たとえばシステム開発会社なら、自社の製品はもちろん「システム」となる。しかし、システムは目に見えないので、「製品」と呼ぶには多少違和感がある。かといって、サービスとも何か違う。サービスというと、人の手で直に提供されるものを指すことが多いし、接客・販売業のイメージも強い。

そこで、ソリューションという便利な言葉が使われるようになった。つまり、顧客が抱える問題や悩みを解決したり、要望やニーズを満たしたりする、なんらかの製品やサービスをソリューションという。またAI・デジタル業界においては、いくつかの製品やサービスを組み合わせて顧客に提供することも多く、その組み合わせたモノ全体を指して、ソリューションということも多い。

ソリューションと聞いたら、「それは、何かの問題を解決してくれる形のない製品やサービスのことだ」と考えればよい。しかしソリューションは、ひと昔前によく使われていたカタカナ言葉であり、あまりに多用すると今はカッコ悪い印象だ。

⑨コンテンツ

デジタル業界では2012年あたりから「コンテンツマーケティング」という言葉がもてはやされた。現在は、そのブームもいったん落ち着いた感じはするが、引き続き重要なキーワードとして特にデジタル業界や広告業界で注目を集めている。コンテンツマーケティングについては後ほど説明する。

コンテンツ（contents）とは、英語で「中身、内容」という意味。文字や音声、画像、映像など、人間にとって何か意味を持つひとまとまりの情報を指す。Webサイトに掲載されているテキストや画像、写真、イラスト、スマホで毎日楽しんでいるゲームや音楽、配信サイトから視聴している動画やアニメなどが、まさにコンテンツだ。私たちは、面白いコンテンツがあるＷｅｂサイトを利用し続けるし、逆に面白いコンテンツがなければ、一度検索や閲覧はしても、再訪することはないだろう。

これは、言ってみれば当たり前のこと。しかし実際に、これまでの企業や団体はＷｅｂサイトを立ち上げても、それで満足してしまうケースが案外多かった。たくさんの人にＷｅｂサイトを見てもらうためには、その中にあるコンテンツを充実させていかなくてはならない。それがまさに、「コンテンツマーケティング」の基本的な考え方だ。つまりコンテンツマーケティングとは、見る人にとって本当に面白く有益なコンテンツを継続的に発信して新しいお客さまを増やし、リピートさせるマーケティング手法のことだ。

通信技術の発達により、現在ではゲームや音楽、映画やテレビ番組、書籍や新聞、雑誌などのあらゆるコンテンツが、インターネット経由で利用できるようになった。各種コンテンツのネット配信が、今後ますます普及することは間違いない。コンテンツ配信は、将来性の高いビジネスだと言える。

⑩プラットフォーム

知らない街に行き、「この近辺でおいしい店を探したい」と思ったとき、今多くの人はどうするか。スマホを取り出し、「食べログ」で検索するだろう。「食べログ」は、ここ数年で急速に普及したサービス。約２０００万件の口コミと、85万以上のレストランが掲載されていると言われ、「よいお店を見つけるなら食べログで」と、年齢層を超えて国内で大きな支持を獲得している。また、「食べログを見て来店してくれるお客が最近は多くなった」と、効果を実感している店舗経営者も多い。このように「食べログ」は、利用している多くの一般ユーザーと、情報を掲載している店舗、どちらにも利益をもたらす。「おいしいものを食べたい」という客と、「おいしいものを提供したい」という店がうまく出合える場を提供している。この「食べログ」のようなサービスが今、日本だけではなく、世界中で次々に生まれているのだ。

ここでおさえておきたい重要なキーワードは、「プラットフォーム」(platform)という言葉。もともとは、「基盤」という意味の英単語だ。今紹介した「食べログ」はまさに、AI・デジタル業界で言う「プラットフォーム」。つまり、たくさんの人や企業がそこに参加していて、そのなかで大きな利益や価値が生まれている、なんらかのサービス基盤を指す。

すでにおなじみのECサイト「楽天市場」や「アマゾン」も、まさにプラットフォーム。LINE(ライン)やフェイスブック、もそうだ。このようにさまざまなプラットフォームが今、世の中に新しい便利や満足を提供している。名もないベンチャー企業が、これまでになかった新たなプラットフォームを生み出し、これからの世の中を大きく変える可能性は十分にある。

⑪デバイス

私たちの生活は今、「デバイス」なしに語れない。デバイス(device)とは、英語で「機器、装置、道具」の意味。それほど大型・複雑ではなく、個人でも使える電子機器を指すことが多い。つまりスマートフォンや、タブレットなどがデバイス。また、プリンタなどコンピュータの周辺機器もデバイスという。デバイスに関しては今後もぜひ注目したい。人の生活を変えるほどのインパクトを持つ、優れたデバイスが次々に登場し、普及を始めているからだ。ちなみにスマートフォンは、世界的にも個人普及率ベースで100%に達していると言われ、もはや新しいデバイスとは言えない。すでに、機能と価格を抑えた「低価格スマホ」が注目されている。

新しいデバイスとして、ぜひ目をつけておきたいのは3つ。「次世代テレビ」「ウェアラブル」「3Dプリンタ」だ。まず次世代テレビだが、最近は若い人を中心にテレビ離れが進んでいると言われる。ネットでも動画を気軽に見られるようになったのが主な理由だ。そんななか、4K・8Kの高精細な映像が楽しめてネットにも接続できる次世代テレビは、オリンピックに向けて急速に普及することが期待されてきた。

次に「身につけられる」という意味のウェアラブル。すでに「Apple Watch（アップルウォッチ）」などの時計型デバイスはよく知られているが、今後は腕装着の「バンド型」や衣服装着の「モジュール型」、「メガネ型」も普及すると見込まれる。

最後に「3Dプリンタ」。これまでは、性能が未熟なため、製品の金型や模型、試作品をつくるためのものだと考えられていた。しかし、今後はいよいよ3Dプリンタから完成品をつくり出すことも不可能ではないと、技術の進歩に確かな期待が集まっている。

⑫アプリ

スマートフォンが普及したことにより、今では一般の人も「アプリ」という言葉をよく使うようになった。アプリとは、「アプリケーション（application）」の略。「ソフトウェア」の項目でも説明しているように、コンピュータに何か特定の機能を持たせるためのソフトウェアを指す。しかし今は、一般的に「アプリ」と言えば、スマートフォンやタブレットにダウンロードして使うソフトだ。

スマートフォンやタブレットを持っている人なら、単に音声通話したり、Ｗｅｂサイトを閲覧したりするだけではなく、いろいろなアプリをダウンロードして便利に使っているだろう。現在、すでにさまざまな種類のアプリが開発され、世の中に広く提供されているが、そのなかで重要なジャンルと言えるのが「メッセンジャーアプリ」だ。その名のとおり、人とメッセージをやりとりするためのアプリ。代表的なものとして、ＬＩＮＥやフェイスブック、ツイッターがある。世界を見ると、アメリカのWhatsApp（ワッツアップ）や中国の微信（WeChat）、韓国のKakao Talk（カカオトーク）も有名だ。また、音声メッセージアプリのSkype（スカイプ）やViber（バイバー）も世界で数億人のユーザーを持つ。すでに、私たちの生活に欠かせないコミュニケーションツールになっている。また、これらのアプリを運営する新興企業が莫大な収益を上げ、業界で見過ごせない存在になっていることも重要だ。

⑬メディア

メディア（media）は、業界に限らず一般の人たちもよく知る言葉だ。「媒体、伝達手段」といった意味を持つ。マスメディアと言えば、大勢の人へ情報を一斉に配信する新聞や雑誌、テレビやラジオなどのこと。ちなみにＷｅｂサイトは、マスメディアではないものの、人間同士の情報伝達手段には違いないので、一種のメディアだと言える。

今のネット業界を考えるうえで、欠かせないキーワードの１つが「ソーシャルメディア」だ。ソーシャルメディアとは、個人間のコミュニケーションや、人と人のつながりを深めるインターネット上のメディアのこと。代表的なものは、ブログやＳＮＳ、電子掲示板などだ。かつてインターネット上のメディアと言えば、企業や個人のホームページが一般的だった。しかし２０００年代に入り、ブログやＳＮＳなどのソーシャルメディアが普及したことで、インターネットを利用する人たちが飛躍的に増えていった。

新聞や雑誌、テレビ、ラジオなど従来のメディアを運営するには、莫大な資金や巨大な設備が必要となる。そのため、情報の発信者になれる人はごく一部だった。しかしインターネットが普及したことで、この状況は劇的に変化した。今は個人や一企業がインターネット上で簡単にメディアを立ち上げ、自分たちで情報を発信できる。

現在、企業のＷｅｂサイトを「オウンドメディア（owned media）」と呼んだりもする。つまりＷｅｂサイトは、自社で所有（owned）し、運営しているメディアだという意味。もっと積極的に活用して顧客や社会と適切なコミュニケーションをとり、事業の発展につなげようという考え方が普及している。

3

AI・デジタルのプロを目指すために必要なスキル

ITパスポート試験に挑戦してみよう

IT系の資格としてよく知られているものに「ITパスポート」がある。ITパスポートはIT系基礎知識の習得度を測る。合格していればIT系の基本的な知識を身につけている確かな証明となり、ITエンジニアなど専門職の人とも一定のコミュニケーションができるレベルだと言える。すべての社会人が備えておくべきIT知識を問う国家試験だとされているが、ITに関して全く知識がないところから短期間で合格するのは実際に難しい。特定分野ではなくIT領域に関する総合的な知識を問われるため、すでにIT系の仕事をしている人でも多くの場合一定の学習期間が必要だろう。

IT業界で活躍するための基礎知識をゼロからしっかり習得したいという目標があれば、まずこのITパスポート試験への合格をゴールとするのがおすすめ。プログラマーやシステムエンジニア、プロジェクトマネージャーなどのエンジニア職を目指そうとすれば、さらに専門技術の習得が必要となる。

ITエンジニアに必要なスキルは、ITパスポートで問われるような総合基礎知識に加えて「プログラミングスキル」「コミュニケーションスキル」「ドキュメント（文書作成）スキル」などがある。プログラミング言語のトレンドは近年大きく変化しているため、今求められるプログラミング言語を把握しておきたい。

①C／C++

Ｃ言語は重要なプログラミング言語の1つであり、しかもそのなかで歴史が古い。１９７０年代に誕生し、それ以来日本企業の業務システム開発で大変よく利用されてきた。大企業に古くからある業務システムはＣ言語でつくられているものが多く、それらのシステムを運用するためにも一定の需要がある。プログラミング言語の多くはＣ言語を元に開発されており、汎用性の高さが大きな特長。ソフトウェアのＯＳやアプリケーション、電子機器の組込みシステムなどさまざまな開発に活用でき、Ｃ言語を習得することで活躍のフィールドが広がる。Ｃ＋＋はＣ言語から生まれてきた言語で、オブジェクト指向であることが特長だ。

②Python

ＡＩ（人工知能）の開発やビッグデータの活用が進む昨今、急速に重要度が高まったプログラミング言語。ＡＩ開発やビッグデータ活用を行いやすいのが特長で、Python を使えるエンジニアの評価は現在かなり高く、給与も高水準となっている。プログラミング言語としての文法はシンプルで、初心者が学びやすいのも大きな特長。昨今の Python 人気を支える要因の一つとなっている。インターネット上には Python に関するさまざまな情報が豊富にあり、初心者であってもネットで調べれば疑問点や問題点も解決しやすい。

③JavaScript

Python と並んで人気が高いプログラミング言語。Ｗｅｂサイトのページ構築に利用される。ＵＩ（ユーザビリティ。サイトの使いやすさのこと）やＵＸ（ユーザー・エクスペリエンス。サイトを利用して得られる体験価値のこと）という考え方が一般的なものとなり、Ｗｅｂサイトの機能性やデザイン性の高さがますます重視されるなか、メニューのドロップダウンやページスクロールなど動的なサイトを開発するために欠かせない言語となっている。

④SQL

ＳＱＬはリレーショナルデータベースのデータを操作するための言語。リレーショナルデータベースとは、行と列で構成される表を連携させてつくられたデータベースのことで、企業のシステム開発やアプリ開発において頻繁に利用されている。このリレーショナルデータベースに対して、ＳＱＬを使えば検索、挿入、変更、削除などを行える。ほとんどすべてのシステムがデータベースを利用していると言っても過言ではないため、システム開発においてＳＱＬの重要性は高く、習得すれば活躍のフィールドが広がる。

⑤R

ＡＩ開発のニーズが高まるなか、Pythonと同様に注目されているのがＲ（アール）だ。１９９０年代に開発され、当初は主に学術研究の分野で利用されていた。もともと統計解析言語として開発されたため、データ分析や統計解析に関しては他のプログラミング言語と比較すると群を抜き優れている。Pythonと同じくＡＩ開発向けの拡張機能が多数用意されているのも特長で、最近では民間企業での導入も進み人気度が高まっている。

⑥PHP

JavaScriptと似た特長を持ち、動的なＷｅｂサイトのページを構築するのに適している。ＨＴＭＬとの親和性も高く、ＷｅｂサイトやＷｅｂアプリケーションの開発において特に重要性の高いプログラミング言語。

⑦Java

Javaは企業向けの業務システムやＷｅｂサイト、

スマホアプリなどさまざまなアプリケーション開発に利用されている。１９９６年に正式バージョンがリリースされ、その後急速に広まり現在に至るまで特に活用度の高いプログラミング言語として君臨している。C言語とJavaをまず習得させるIT企業やITスクールは多い。日本をはじめアジア圏ではは非常に需要が高いものの、アメリカ圏ではそれほどでもなく、JavaよりJavaScriptやPythonを習得する初心者も多い。

⑧Go

グーグルが開発したプログラミング言語。もともとはグーグルが自社のソフトウェア開発の生産性向上のため開発したものだが、現在では多くの企業や組織で広く使われている。シンプルな文法構造で読みやすく、軽量かつ高速で動くプログラムを書ける点が評価されている。学習のしやすさもあり世界的な人気が高まっているプログラミング言語。日本でも現在、PythonやRとともに急速に注目度が高まり、求人数も増加している。

⑨Kotlin

グーグルが開発したOSであるAndroidの公式開発言語として注目を集め、Androidアプリケーション開発で広く利用されているプログラミング言語。文法がシンプルで記述コードが簡易なため読みやすく、初心者も学習しやすいのが特長。Javaとの類似点が多く、Javaを習得していればより学びやすい。Javaとの相互運用ができ、JavaのコードからKotlinを呼び出したりJavaのコードにKotlinを部分的に使ったりもできる。

⑩Typescript

JavaScriptに替わる次世代のプログラミング言語とも言われ、マイクロソフトやグーグルの社内標準言語となっている。JavaScriptと同じような構文を用いるため、JavaScriptの知識があれば比較的容易

基礎知識
業界の仕組み
キーワード
仕事とキャリア
主要・注目企業
仕事人
業界に入るには

に活用可能。JavaScriptでは困難だった中規模・大規模のＷｅｂサイト開発で利用できることを目的としてつくられた。JavaScriptがより進化したプログラミング言語とも言える。

⑪C#

２０００年にマイクロソフト社が開発した言語。マイクロソフトが無償提供している高機能のＩＤＥ（統合開発環境）「Visual Studio」を導入し、簡単に最適な開発環境を構築できる。Ｃ＋＋とJavaをベースにして開発され、企業向けの業務システムのほかゲーム制作、スマホアプリやＡＲ、ＶＲの開発にも活用されている。

⑫VBA

ＶＢＡはVisual Basic for Applicationsの略。Microsoft Officeのアプリケーション開発で活用できるプログラミング言語として知られ、簡易なプログラムを記述して実行させるだけで複雑な処理を自動化できるという特長を持つ。

⑬VB.NET

マイクロソフト社が開発したプログラミング言語で、Windows系のシステム開発には非常に適している。シンプルで分かりやすいのが特長で、初心者も学習しやすい。ベテランまで多くの方に使用されている。

⑭HTML/CSS

Ｗｅｂサイトのページをブラウザで表示させるために必要な言語。ＨＴＭＬはテキストや文字、表、画像、リンクなどＷｅｂサイト内の部品を配置し、ＣＳＳはＷｅｂページの見た目を整える。初心者でも学習しやすく、Ｗｅｂサイト開発には必須。

⑮Swift

アップル社が作った比較的新しいプログラミング言語。Swift の登場によって iOS や Mac のアプリケーションはすべて Swift で開発できるようになった。さまざまな言語の要素や良いところを少しずつ取り入れて、開発初心者の人にもわかりやすく学習しやすい言語に工夫されている。

⑯Ruby

日本人のまつもとゆきひろ氏により開発されたプログラミング言語。スクリプト言語であるためプログラミングを手軽に行える。ＷｅｂサイトやＷｅｂベースの業務システムを効率良く開発できるのが特長。

⑰Scala

Java と同じくオブジェクト指向を特長とするプログラミング言語で、関数型の機能が使えるといった他にない独自の強みを持つ。アメリカでは Scala のトレンドが続いており、国内でも注目度が高まっている。

⑱Objective-C

Ｃ言語をベースにしてオブジェクト指向を取り入れたプログラミング言語が Objective-C。アップル社が macOS の公式開発言語として採用して広く認知され、Swift とともに普及が進む。

⑲Rust

Rust は、Ｃ＋＋に代わるシステムプログラミングが可能な言語としてＣ＋＋の問題点を改善するために開発された。速度や安全性の高さを特長としている。日本での認知度は高くないが、非常に高い評価をしている欧米のシステム開発者コミュニティもあり、今後の普及が期待される。

⑳Haskell

Haskell（ハスケル）は1985年に発表された純粋関数型プログラミング言語。信頼性の高いシステム構築を行えることが特長で、金融取引所などの金融関連システムを構築する際によく採用される。認証サーバーやセキュリティ基盤開発にも有用。データ分析や数学的・科学的解析にも用いられる。医療分野では電子カルテなどにも採用された事例もある。

目的別プログラミング言語一覧

Web 開発	PHP　JavaScript
アプリ開発	Java　Kotlin　Swift　C#
サーバサイド開発	Java　C#　Python　GO
AI/ 機械学習	Python　C++　R

（出典）PASONA TECH

4 クラウド時代に知っておきたいAWS／Azure／GCP

現代社会を支えるにインフラに

２０１０年代に世の中で急速な普及を遂げたクラウドは、今やＩＴ専門用語という枠を超え、現代社会を理解する重要なキーワードになったと言っても過言ではない。多くの官公庁や地方自治体、民間企業、学校や病院などさまざまな組織の情報システムはすでに、クラウドを前提として運用されている。ネットショッピングや動画・音楽配信、電子マネーといった身近なサービスもクラウドで成り立っていて、もはや現代社会を支えるインフラ（基盤）技術になったと言えるだろう。クラウドとは直訳すると「雲」の意味。インターネット経由で、手元にはないソフトやアプリなどを気軽に利用できる仕組みを指す。かつて大企業は自社の情報システムを開発する際、そのために必要なサーバーからソフトまで全てを自前で用意しなくてはならなかった。しかし現在では、お金を払えば容易に情報システムを持てる。そういった便利な環境を実現したのが、ＡＷＳやAzure、ＧＣＰといったクラウドサービスだ。

アメリカ企業が世界的には圧倒的な強さを見せるクラウドサービス市場だが、日本企業では富士通やＮＴＴコミュニケーションズ、ＳＣＳＫ、インターネットイニシアティブ、日鉄ソリューションズ、テラスカイなども健闘している。

①AWS

アマゾンの主なビジネスとして見逃せない。多くの日本企業がこのＡＷＳを利用して自社の情報システム開発・運用を行っている。クラウドサービスにおけるＡＷＳの世界シェアは３割以上と言われ、２位以下を引き離して１位だ。

②Azure

Azure（アジュール）はMicrosoft Azureの略。マイクロソフト社が提供しているクラウドサービス。世界シェアはＡＷＳに次ぐ２位で約１割程度を占める。

③GCP

ＧＣＰ（ジーシーピー）はGoogle Cloud Platformの略。世界トップシェアの検索エンジンやYouTubeなどを運営するグーグル社提供のクラウドサービス。グーグルの持つ機械学習系サービスとデータ解析、その他グーグルが持つ高い技術を利用できる。

企業におけるクラウドサービスの利用状況

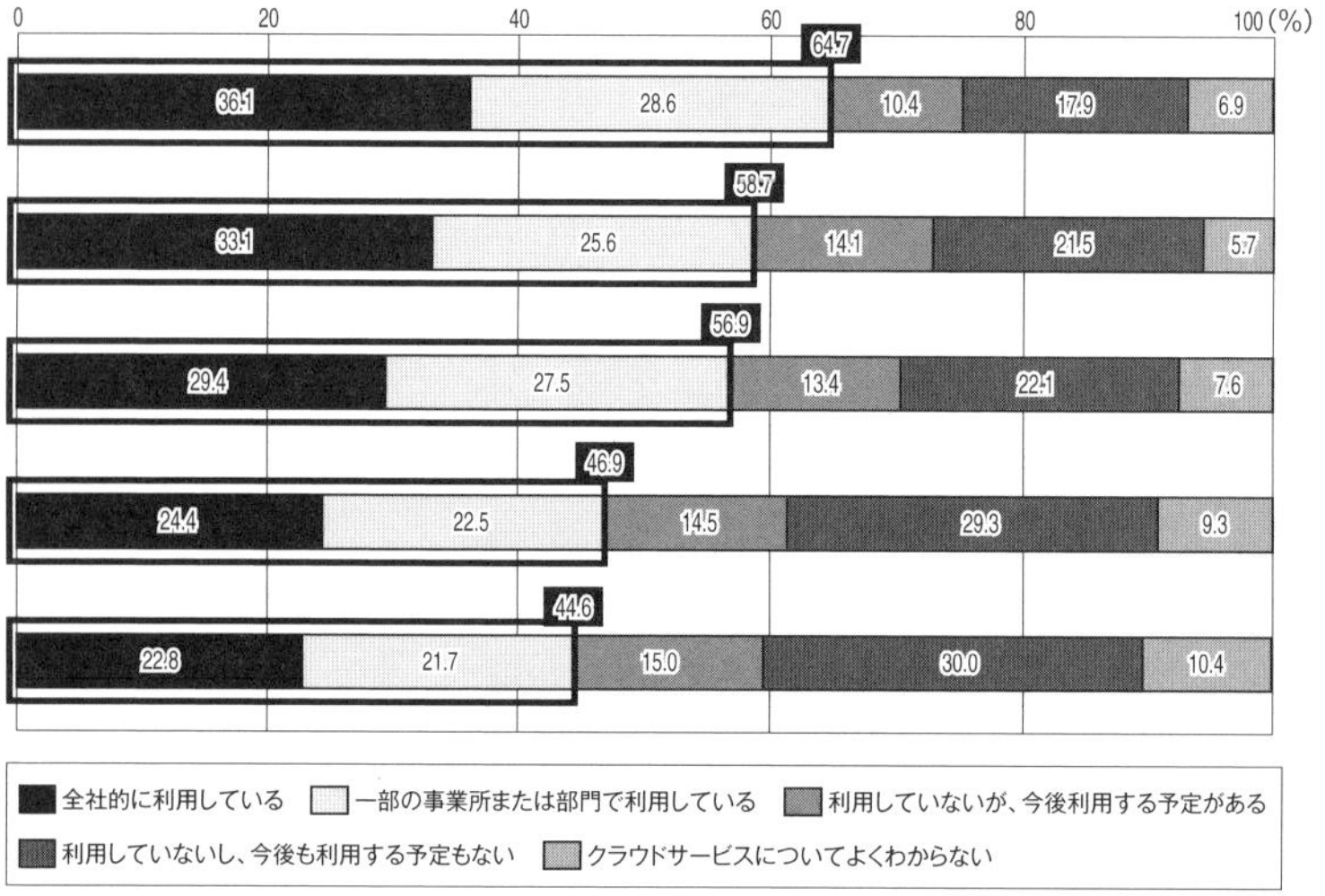

（出典）総務省「通信利用動向調査」

Chapter2

ＡＩ・デジタル業界の仕組み

Ⅰ

複雑なAI・デジタル業界を整理する「10分類」

「NEC」「富士通」「NTTデータ」「楽天」「ヤフー」「ソフトバンク」「野村総合研究所」といった日本企業だけでなく、「グーグル」「アップル」「フェイスブック」「アマゾン」「ネットフリックス」「アクセンチュア」といった海外企業の存在感も非常に大きい。「アリババ」や「テンセント」などの中国企業、「サムスン」などの韓国企業も見逃せない。

業界全体を広く知り、自らに最適な1社を見つけ出す

AI・デジタル業界に限らず、仕事で活躍するには基礎知識、最新知識に加えて会社知識が必要だ。取引先や顧客、協力会社など、相手がいてこそ成り立つのがビジネス。業界にはどんな会社があり、それぞれどんなビジネスを展開しているのか。そういった知識をまず蓄えることで、自分はその中でどの会社に就職・転職しようか、どの会社にビジネスをもちかけようかという最適なアクションを起こせる。

AI・デジタル業界にはいろいろな会社が存在しているが、ここでは大きく10分類を行った。業界を知るうえで見逃せない重要企業を網羅している。

①IoT

IoTとは、Internet of Things の略だ。和訳して「モノのインターネット」とも言われるが、そう訳されても正直なところ意味はわかりにくい。IoTとは一体何だろうか。

1990年代後半、世界中のコンピュータがイン

AI・デジタル業界10分類

IoT
NEC
日立製作所
富士通
三菱電機
ソニー
他

ITコンサルティング
NTTデータ
野村総合研究所
アクセンチュア
日本ユニシス
SCSK
伊藤忠テクノソリューションズ
日鉄ソリューションズ
大和総研
電通国際情報サービス
アビームコンサルティング
ネットワンシステムズ
他

ソフトウェア・クラウドサービス
セールスフォース・ドットコム
日本オラクル
ワークスアプリケーションズ
アドビシステムズ
サイボウズ
他

EC
楽天
ヤフー
アマゾン
メルカリ
ZOZO
他

情報ポータルサービス
ヤフー
グーグル
カカクコム
クックパッド
他

オンラインコミュニケーションサービス
LINE
グリー
ミクシィ
フェイスブック
ディー・エヌ・エー
ズーム・ビデオ・コミュニケーションズ
他

通信
NTTグループ
KDDI
ソフトバンク
楽天モバイル
他

ネット広告
サイバーエージェント
セプテーニ・ホールディングス
デジタルホールディングス
デジタル・アドバタイジング・コンソーシアム
アドウェイズ
他

フィンテック
SBI証券
住信SBIネット銀行
マネックスグループ
大和ネクスト銀行
松井証券
他

ニューテクノロジー（AI/次世代自動車/VR/RPA/宇宙開発）
トヨタ自動車
モネテクノロジーズ
ソニー
アマゾン
グーグル
マイクロソフト
IBM
アップル
他

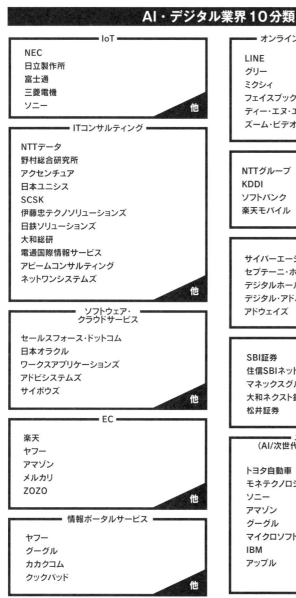

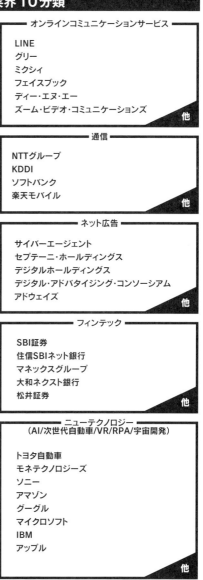

ターネットでつながり、人々のコミュニケーションに革命的な変化を起こした。そして今後、地球上ではコンピュータとコンピュータだけでなく、インターネットを通じてモノとモノが次々につながっていく。

そうすれば人間は、遠くにあるモノを今より自由に操作したり、管理したりできるようになる。身近な例で言えば、離れた場所にある部屋の電気やエアコンを手元のリモコンで入れたり切ったりできる。作物を育てる農場の温度や湿度、照度などが、その場に行かなくてもわかるようになる。飼い犬にタグを搭載すれば、いつでも居場所がわかるようになる。ＩｏＴの技術があれば、人間の活動は距離や時間を超える。農業や交通をはじめすでにあらゆる分野で実証実験が行われており、ＩｏＴ活用の動きがさまざまな企業で活発だ。今後さまざまなサービスが生まれると期待される。

次世代のＩｏＴビジネスをリードする会社として、まず期待されているのがＩＴに強いメーカー。日立製作所や富士通、三菱電機、ＮＥＣ、ソニーなどがその代表格。かつて世界を席巻した日本のメーカーが衰退していると言われ始めて久しいが、「モノづくり」と「ＡＩ・デジタル」の双方に強い企業は大きく成長する可能性を秘めている。今後注目の技術分野である量子コンピュータにおいてはＮＥＣが国内ではリード。ＩｏＴサービスを実現するためには大量データを扱う（ビッグデータ）技術も非常に重要だ。「ソフトバンク」「ＮＴＴドコモ」「ＫＤＤＩ」など通信系大手企業の存在も大きい。

②ＩＴコンサルティング

現代の企業経営に欠かせないのがＩＴ。何千・何万人という従業員が働く大企業は社内で扱う数字やデータ、書類の量も膨大で、業務効率化のためシステムは欠かせない。ＩＴなしに企業経営を行うのは不可能だ。また、中小・零細企業は人手や資金などの経営リソースが不足しがちで、それを補うためＩＴは欠かせない。ＩＴ活用はどんな企業も避けては通れない重要な経営課題だ。

業務の効率化や収益性の改善、新しい事業や組織の構築など、ITを活用してさまざまな経営課題の解決をサポートするのがITコンサルティング。B to Bビジネスではないため一般的な知名度は低い傾向にあるが、経営に直結する重要なサービスを提供しているため産業界での影響力や存在感は大きい。

ITコンサルティングは、各社の特徴によっていくつかに分類できる。まず銀行・証券など金融系の大手企業が母体となっている「総研系」。「野村総合研究所」「日本総合研究所」「みずほ情報総研」「大和総研」などがある。「アビームコンサルティング(NEC)」「日立コンサルティング(日立)」などは大手メーカーが母体となっているメーカー系。「アクセンチュア」「デロイトトーマツコンサルティング」「PwCコンサルティング」は外資系。「マッキンゼー」「ボストンコンサルティンググループ」「ベイン・アンド・カンパニー」「A. T. カーニー」はITを含めた経営戦略立案支援に強く「戦略系」と呼ばれる。

大手企業の情報システム部門に端を発する「NTTデータ」「伊藤忠テクノソリューションズ」「日鉄ソリューションズ」「SCSK(住友商事グループ)」「兼松エレクトロニクス」はユーザー系。特定の企業系列に属さない「独立系」は「日本ユニシス」「DTS」「富士ソフト」「ITホールディングス」「ネットワンシステムズ」「大塚商会」などが大手だ。

ITコンサルティングと一言で言っても、以上のとおり「総研系」から「メーカー系」「外資系」「戦略系」「ユーザー系」「独立系」までさまざまな企業があり、それぞれ得意なコンサルティングテーマや技術分野、顧客企業も違えば社風も違う。ITコンサルティング業界を志望する場合は、コンサルティングという言葉のスマートな響きに惑わされずに、徹底的な業界研究と各社比較をしたうえでアプローチしたい。

③ソフトウェア・クラウドサービス

パソコンやスマホの中にソフトウェアが入ってい

るからこそ、私たちはコンピュータを使ってさまざまなことができる。世の中にはさまざまなソフトウェアがあり、それらをつくっているのがソフトウェアメーカーだ。また昨今のクラウド普及により、ソフトウェアをクラウド上で提供するサービス（SaaS、サース）が一般化しつつある。

どんなソフトウェアをつくっているかにより、ソフトウェアメーカーを「OS」「セキュリティ」「データベース」「業務用ソフト」の4つに分類してみよう。まず、コンピュータの基本ソフトであるOSのメーカーとしては、「マイクロソフト」「グーグル」「アップル」の3社。次にセキュリティ系には、「ノートンライフロック」「トレンドマイクロ」「ソースネクスト」「マカフィー」など。データベース系には「日本オラクル」など。業務用のソフトウェアメーカーとしては、「ワークスアプリケーションズ」「オービック」「サイボウズ」「弥生」「SAPジャパン」などが有名だ。

日本だけでなく世界に目を向けると、ソフトウェア開発やクラウドサービスの注目企業はまだまだ多数ある。まず画像ソフト開発の「アドビシステムズ」。ソフトをパソコンにインストールする従来型

デジタル・ジャイアンツ

グーグル	米国
アップル	米国
フェイスブック	米国
アマゾン	米国
バイドゥ	中国
アリババ	中国
テンセント	中国

外資IT大手

IBM	米国
マイクロソフト	米国
HP Enterprise	米国
オラクル	米国
アクセンチュア	米国
SAP	ドイツ

ではなく、SaaS型にサービス転換して業績拡大した。企業向け顧客管理ソフトで世界的に圧倒的な存在感を持つ「セールスフォース・ドットコム」も有名。1台のコンピューター上で複数のOSやソフトを動作させる仮想化ソフトでは「VMware」が有名だ。

④EC

EC（Electronic Commerce）とは、日本語にすると「電子商取引」。むしろそう訳すとわかりにくくなるほど、ECという言葉は身近になっている。ウェブ上で商品を販売するビジネスをEC、またはeコマースという。日本のEC業界においては、「楽天」と「アマゾン」が圧倒的な2強として君臨している。この2社に「ヤフー」を加えた3社が、国内総合ネット通販の主要企業だ。

「総合系」ではなく、「専門系」のEC企業も多い。ファッション系の「ZOZO（ZOZOTOWN）」や「マガシーク」などが知られる。その他、ネット食品スーパーの「オイシックス・ラ・大地（Oisix など）」なども有力。さらに、比較系サイトの運営会社も見逃せない。「カカクコム（価格.com）」も重要企業だ。

トレンドとして注目したいのがスマートフォン向けEC。スマートフォンから気軽に利用でき、スマートフォンユーザーの心をつかんだものが評価を受けている。代表的なのは、「メルカリ」が運営するフリマアプリのメルカリ。スマホで写真を撮り、洋服を簡単に売り買いできる。

⑤情報ポータルサービス

インターネットは、たとえて言うなら情報の海。ネットにアクセスしている無数の人や企業、団体が情報を自由に発信している。インターネット上には、書籍や雑誌、新聞、テレビ、ラジオなど従来のメディアとは比較にならないほど大量の情報があり、それがまさにインターネットの魅力だ。しかし、さまざまな情報が大量にありすぎて、その中から自分に必要なものを見つけるのは大変な作業となる。インターネットならではと言える、この不便さを解消してくれるサービスが「情報ポータル」だ。

情報ポータルは、インターネットが世の中に登場した当初から存在しているサービスで、業界の中では歴史が長い。日本人なら知らない人はいない、といっても過言ではない、情報ポータルと言えば、「ヤフー」が運営するYahoo! Japan。同じようによく利用されているのが「グーグル」のGoogle。以上2つが、日本で断トツの2強となっている。その他にも、「カカクコム」が運営する食べログや「クックパッド」が運営するクックパッドなどの特定分野のポータルもある。

インターネットを利用する上で、これまではポータルのサービスが欠かせなかった。しかしスマートフォンが登場したことによって、状況は大きく変化。ポータルサイトを使わず、スマホから直接目的のサイトをキーワードで検索して探したり、アプリを使ったりするユーザーが急速に増えてきている。ただ昨今は、さまざまなアプリを使いわけなければならないという不便さも指摘されていて、あらゆるサービスを統合的に提供するスーパーアプリの登場に期待がかかる。この分野に関してはヤフーやＬＩＮＥが強い。

⑥オンラインコミュニケーションサービス

今の世の中を理解するうえでも「ソーシャルメディア」が重要なキーワードになっていることは先の項目「メディア」でも説明した。ソーシャルメディアとは、人と人をつなぎ、互いのコミュニケーションを促すメディアのこと。ブログや電子掲示板などさまざまな種類があるが、その中でも重要なのはＳＮＳだ。ＳＮＳとはソーシャル・ネットワーキング・サービス（Social Networking Service）の略。日常的に個人間の連絡、やりとりを行えるサービスを指す。「ＳＮＳがないと、今は仕事もプライベートも不便だ」という人は多いだろう。

現在はネット上でさまざまなコミュニケーションサービスがある。ＳＮＳはその代表格。ＳＮＳ分野の主要企業は、まず国内勢の４社に注目。ＬＩＮＥを運営する「ＬＩＮＥ」、mixiを運営する「ミクシィ」、Mobageの「ディー・エヌ・エー」、ＧＲＥＥの「グリー」だ。また、海外勢も見逃せない。まず、アメリカの「フェイスブック」が重要。世界最大のＳＮＳと言われ、国内でも人気が高いフェイスブックを運営している。続いて、同じくアメリカ勢の「ツイッター」。日本で人気の高いツイッターを運営している。他の主要ＳＮＳとは違い文字コンテンツ中心の情報発信であることが特徴だ。その他にも、ビジネス特化型ＳＮＳのLinkedinを運営する「リンクトイン」などが重要だ。昨今、Ｗｅｂ上のコンテンツとして、従来のテキスト（文字情報）よりも、写真や画像、動画の人気が高まっている。この動きを受けて、写真や画像、動画の共有に強いInstagram（インスタグラム、フェイスブックが運営）やPinterest（ピンタレスト）などの新しいＳＮＳが人気を拡大している。10代の若年層を中心に人気を集めるSnapchat（スナップチャット）も伸びている。

２０２０年のコロナ禍で世間から突如大きな注目を浴びたテレワーク関連。世界的に利用が急速拡大したオンラインビデオ会議ツール「Zoom」はアメリカのズーム・ビデオ・コミュニケーションズが運営する。Zoomとともに高シェアなのが「チームズ」を展開するマイクロソフト。こういったオンラインビデオ会議ツールについては、アメリカの大手ＩＴ系企業「シスコシステムズ」が実は古株だ。その他にはビジネスチャットツール「Chatwork（チャットワーク）」を運営する日本企業の「チャットワーク」も注目される。

⑦通信

私たちは今、毎日メールやチャットをしたり、ネットで音楽やゲームを楽しんだりしている。このように、インターネットを仕事やプライベートで便利に使えるのは、通信やネット接続のサービスが充実している日本だからこそと言える。ＮＴＴ、ＫＤＤＩ、ソフトバンクをはじめとする通信会社は、その規模も社会的な影響力も大きく、個別に「通信業界」と分類するのが一般的だ。しかし、AI・デジタル業界とは非常に密接な関わりを持っているため、ここで注目してみたい。

通信会社が提供するサービスとして、代表的なものは4つある。まず、携帯電話やスマートフォンなどの通信を支える「移動体向けサービス」。次に、自宅や会社などの電話やパソコンの通信を支える「固定向けサービス」。さらに、インターネットへの接続サービスを提供する「プロバイダー」。最後に、大量データや大規模システムの管理・運用を行う「データセンター」だ。

あらゆる通信サービスを総合的に提供している「総合系」としては、一般の人もおなじみの3社。「日本電信電話（NTTグループ）」「KDDI」「ソフトバンク」だ。ちなみにNTTは多数のグループ企業を持っていて、固定向けサービスはNTT東日本やNTT西日本、移動体向けサービスはNTTドコモといったように、各社が特定の業務領域で強みを発揮している。

今後特に注目すべきは「楽天モバイル」。楽天グループが展開するモバイル通信事業会社で今後のグループの行く末を決める一大事業として展開されている。2020年より自前の通信設備によって本格的に事業を開始。長年大手3社の独占と均衡が続いていたモバイル通信事業のマーケットに変革を起こす可能性も秘めている。

⑧ネット広告

インターネットの普及によって大きく変革をとげた業界と言えば広告業界。ネット広告という新分野が生まれ、従来型広告のシェアを奪っていった。まだインターネットが一般に普及していなかった1990年代前半は、ネット広告という業界すら存在していなかったが、それ以降今日までの約30年で一気に成長し、現在すでに業界規模は2兆円を超えている。

ネット広告の市場規模は、今日まで右肩上がりで拡大を続けてきた。2005年には約3800億円だったが、２０１６年には約1兆３０００億円にまで伸びている。ちなみに、ネット広告の市場規模は約2兆円の大台を突破し、２０１９年にはついにテレビ広告を超えた。スマホ広告や動画広告などの新しいネット広告が登場しているほか、アドテクノロジーと呼ばれるネット広告の配信技術が進化を続け、ネット広告に対する企業からの期待は大きい。

ネット広告の主要企業には、いくつか種類がある。まず、ネット広告の大手総合代理店。「サイバーエージェント」「デジタルホールディングス」「セプテーニ・ホールディングス」の3社がある。続いて、成果報酬型のアフィリエイト広告会社では「アドウェイズ」「ファンコミュニケーションズ」「インタースペース」「バリューコマース」の4社が重要だ。電通グループや博報堂ＤＹホールディングス、ＡＤＫホールディングスなど大手広告代理店はこれまでテレビ広告中心だったが、ネット広告に注力し新興系ネット広告企業との競争も激化している。

⑨フィンテック

私たちは今、インターネットを通じてさまざまな金融サービスを日常的に利用している。たとえば銀行口座の管理や、お金の振り込みは、各銀行が用意したネットバンキングのＷｅｂサイトから行える。今はもう紙の銀行通帳を持っていないという人も多い。また証券の売買も今ではインターネットで簡単に行える。証券会社の窓口ではなく、ネットで売買をする人のほうが現在は主流だ。ネット証券が普及したことも大きな要因となり、これまでは年配の人や富裕層、愛好家など特定の人が利用している印象も強かった証券サービスが、今では若い人にも広がっている。また、これまでにない新しいサービスを展開する企業も登場している。たとえば銀行や証券などさまざまな口座をまとめて管理できる家計簿アプリを提供する「マネーフォワード」。クラウドの会計・人事労務ソフトを提供している freee（フリー）はマザーズ上場企業だ。ＩＴ技術を通じた先進的な金融サービスをフィンテックと呼び、従来からある金融系大手企業もサービスやビジネスモデルの変革を迫られる。

1990年代以降、IT・ネットの技術が急速に進化、普及したことによって、昔ながらの業種も大きな変革をとげた。その代表格が、証券や銀行などの金融業界。インターネットを通じて金融サービスを提供するネット証券やネット銀行と呼ばれる会社が登場し、ここ十数年で一気に成長した。これまでネット証券、ネット銀行などと呼ばれていた新しい企業はIT技術を駆使し、フィンテック企業として進化し時代のニーズに応じた金融サービスの提供を期待される。証券系は、最大手の「SBI証券」をはじめ「マネックスグループ」「楽天証券」「松井証券」「auカブコム証券」「GMOファイナンシャルホールディングス」が重要。続いて銀行系は、最大手の「住信SBIネット銀行」をはじめ「大和ネクスト銀行」「ソニー銀行」「オリックス銀行」「楽天銀行」「auじぶん銀行」「ジャパンネット銀行」などが重要だ。

⑩ニューテクノロジー(AI／次世代自動車／VR／RPA／宇宙開発)

テクノロジービジネスの中でも、最先端だと言えるのが「AI(人工知能)」「次世代自動車」「VR」「RPA」「宇宙開発」の5分野だ。1950年代に生まれ、ついに本格的な実用段階に入ったとされる「AI」は、「グーグル」「マイクロソフト」「IBM」「アップル」「アマゾン」「フェイスブック」などのアメリカ企業が技術開発やサービス化をリードしている。百度(バイドゥ)やアリババグループをはじめとする中国企業も政府が強力に支援するかたちでAI開発を進めている。日本国内ではトヨタ自動車やファナックなど国内大手企業が出資するAI系スタートアップ「プリファード・ネットワークス」も注目だ。

AI分野がアメリカ・注目企業に席巻される中、日本の「お家芸」とも言える自動車開発の分野では日本企業の活躍に期待がかかる。「トヨタ自動車」や「ホンダ」「日産自動車」「三菱自動車」「マツダ」などの大手自動車メーカー各社が電動化・自動運転などをテーマとする次世代自動車の開発を急ぐ。ビッグデータを活用した次世代の交通サービスプラットフォームを構築すべく、大手自動車会社が共同出資して立ち上がったモネ・テクノロジーズが注目だ。

最新キーワードでも取り上げた「ＶＲ（バーチャル・リアリティ、仮想現実）分野では、マイクロソフトのほか「PlayStation VR」を発売した「ソニー」にも注目が集まる。以前からゲーム開発に強い日本勢は、ＶＲ関連の機器やコンテンツ開発をリードする存在としても大いに期待できる。ＶＲコンテンツ開発では「バンダイナムコエンターテインメント」「コロプラ」「グリー」「gumi」などが注目だ。

同じく最新キーワードでも取り上げた「ＲＰＡ」も今後の大きな成長を期待できるビジネス分野。「ＮＴＴデータ」「ＴＩＳ」「アクセンチュア」などが注目される。

ＡＩと同じく「宇宙開発」も、もはやＳＦの世界ではなく収益性と成長性の高いビジネス分野として確立され、大手からベンチャーまで企業参入が相次ぐ。最先端のＩＴ技術とも切っては切り離せないのが宇宙開発分野。日本企業では「三菱重工業」「川崎重工業」「ＩＨＩ」などがリードしている。

Chapter3

ＡＩ・デジタル業界のキーワード

Ⅰ 業界専門用語の枠を超え社会に浸透する「ＡＩ」「デジタル」

時代を語る二大キーワード

昨今、時代を語るうえでの重要キーワードとなったＡＩ（人工知能）。ＡＩ（Artificial Intelligence）という言葉や概念は20世紀から存在していて、学界ではさまざまな研究が行われていた。ところが一般的にＡＩというと、ＳＦや映画など非現実な世界の話と捉えられ、私たちの実生活とはかけ離れたもののイメージだった。しかし２０１５年頃から、これからの社会を変えうる新しい技術として新聞やテレビでも現実的にＡＩが語られるようになり、今では一時の流行語やブームではなく次世代の必須テクノロジーであるという認識が一般化しつつある。

デジタルという言葉も、アナログの対義語として古くから一般的に知られている。今の私たちの生活に欠かせないスマホやパソコンなどのコンピュータを利用するうえでは、デジタルデータが欠かせない。デジタルの重要性が近年特に語られるのは、コンピュータが世の中でますます存在感を増しているからだ。２０２０年9月に発足した菅内閣の看板政策の１つには「デジタル庁の設置」があるが、まさに社会におけるデジタル重視の流れを受けてのことだ。

情報技術関連のサービスを扱う業界は、「ＩＴ・ソフトウェア業界」「ＩＴ・Ｗｅｂ業界」などテクノロジーの進歩や時代のトレンドをおさえながら、その呼び方も少しずつ変化してきた。ＡＩとデジタルが今、情報技術関連の潮流を語るうえでの二大キーワードとなっている。

AIに「取られそうな仕事」と「取られなさそうな仕事」

「取られそうな仕事」

データ入力作業員
銀行窓口係
レジ係
測定作業員
会計事務員　ほか

「取られなさそうな仕事」

アートディレクター
バーテンダー
レストラン支配人
教師
観光ガイド　ほか

マイケル・A・オズボーン氏の論文「雇用の未来」などを参考に作成

2 現在の業界理解に不可欠な代表キーワード

活躍するには、テクノロジー系用語の理解は必須

新しい知識が次から次へと生まれてくるテクノロジーの世界。今や業界自体を表す単語となった「AI」「クラウド」「IoT」も、10年前は注目されていなかった。新技術・新サービスが次々に登場し、絶えず新しいモノ・コトに触れられるのがAI・デジタル業界の面白さ。しかし膨大な情報に日々接していると「何をどこまで把握し、理解すれば良いのだろう」と分からなくなる。知識をアップデートし続けるのは、それ自体楽しく自らの成長・進化を実感できるのと同時に、行きすぎると疲れたり、嫌気がさしたりする。

AI・デジタル業界で活躍するなら、テクノロジー系用語を知っておくことは不可欠。時代に関係なく重要な基本用語をおさえ、現在のトレンドであり今後の基本となる最新キーワードを知っておく。すべてを理解する必要はない。まずは聞いたことがあるレベル、たとえば単語だけでも覚えておき、本や新聞、ニュースなどで関連情報に触れ、時間をかけながら少しずつ知識を深めていく。そうすればある時突然、AIやクラウド、IoTなど抽象度の高い概念もすっきり理解できたという実感を持てる時が来たりする。その時がうれしい。

今ぜひおさえたい最新21キーワードを、この章で取り上げて説明する。なおここでは取り上げなかったが、その他にも注目しておきたい重要キーワードもいくつかある。たとえば、2017年の流行語大賞候補にもなった「フェイクニュース」はネットで

流布する「虚偽のニュース」という意味。２０２０年のアメリカ大統領選の際にも再度話題になり注目された。数年前から注目しはじめた「スマートスピーカー」はアマゾンが発売したことで普及が加速し、すでに自宅で活用している人も多いだろう。スマホの音声検索・入力の性能は着実に向上していて、指での操作ではなく音声操作している人を街中でも見かけるようになってきた。数年前から普及しはじめたグーグルやアップル、マイクロソフトなどの「サブスクリプションサービス」は「サブスク」とも略されて一般化し、すでに多くの人が利用している。商品やサービスを一括で買い取るのではなく、月ごと、年ごとに定額料金を支払って利用することを指し、世の中にサブスクリプションが普及したのはクラウド技術によるところが大きい。アップル社の定額制音楽視聴サービス「Apple Music」がよく知られ、動画配信サービスのYouTubeも月額制の視聴サービス「YouTube Premium（プレミアム）」をリリースして話題になった。

コロナ禍を機に加速するデジタル社会の進化

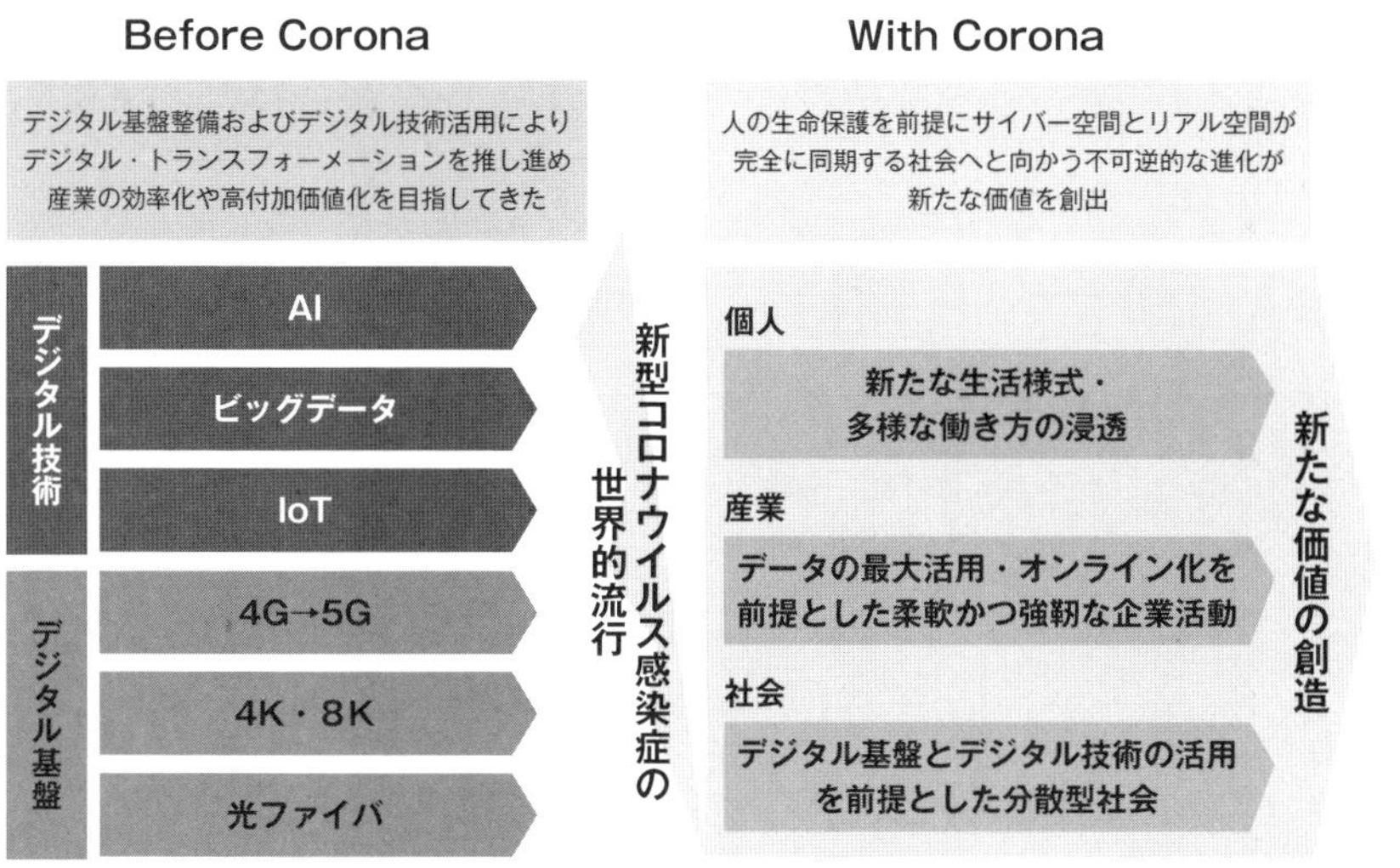
Before Corona
デジタル基盤整備およびデジタル技術活用により
デジタル・トランスフォーメーションを推し進め
産業の効率化や高付加価値化を目指してきた
デジタル技術
AI
ビッグデータ
IoT
デジタル基盤
4G→5G
4K・8K
光ファイバ
新型コロナウイルス感染症の世界的流行
With Corona
人の生命保護を前提にサイバー空間とリアル空間が
完全に同期する社会へと向かう不可逆的な進化が
新たな価値を創出
個人
新たな生活様式・
多様な働き方の浸透
産業
データの最大活用・オンライン化を
前提とした柔軟かつ強靭な企業活動
社会
デジタル基盤とデジタル技術の活用
を前提とした分散型社会
新たな価値の創造

（出典）総務省

3 AI・デジタル業界の最新重要キーワード21

①DX（デジタルトランスフォーメーション）

DXは「Digital Transformation（デジタルトランスフォーメーション）」の略。英語ではtrans-をX-と略すことが一般的なためDXと表記する。デジタル技術によって企業が業務や事業を変革することをいう。

インターネットが普及しはじめたばかりの20年前と比較すると日本人の生活スタイルや消費行動が大きく変化した。AIやデジタルの技術を活用して、今の時代に人々が本当に求めている便利なサービスを実現していくことは非常に重要で、暮らしだけでなくビジネスも変革する必要がある。DXについてはすでに広くビジネス界で注目されているが、DXに十分な対応をしている企業は1割にも満たず、DXの重要性は認識していても具体的に何を行えばよいか分からないという声が多いのも実情だ。

DXとしては、アマゾンを代表とするネット販売がまさにその好例。リアル店舗で商品を買うのが当たり前だった時代から、ネット上でモノを売るという事業モデルへと転換した。オンラインショップは、インターネットを利用して従来のビジネスの仕組みを変革することに成功し、まさにDXだと言える。ネット書店からスタートしたアマゾンだが、本だけでなくその他のあらゆる商材をオンライン購入できる総合ショップへと進化し、現在では電子書籍や動画、音楽の配信サービス、企業向けクラウドサービスなども提供中。世界のビジネス界を代表するDXの成功例と言える。

最近は音楽もネット配信を利用して楽しむ人が中心となってきた。アップル社が提供する毎月定額制の視聴サービス「Apple Music」などは、人々の音楽の楽しみを変えた。音楽ビジネスといえば、かつてはコンサートの生演奏やレコードの販売で稼ぐのが一般的だった。しかしデジタル技術の発展によってＣＤやＭＤなどが普及してデジタル化が進行。さらにその後、インターネットやスマホの普及によって、音楽コンテンツのダウンロードや動画視聴がメインとなるなど音楽ビジネスは激変した。これまでのレコード会社主体のビジネスから、最近はアーティスト個人による楽曲販売や動画配信も行われたりしている。

マイクロソフトといえばWordやPowerPointといったパソコン用ソフトの開発会社として知られている。以前はライセンス販売やパソコンとのセット販売などの売切り型で稼いでいたが、アマゾンやアップルと同様にクラウド上で月額制のサブスクリプションサービスを提供するビジネスモデルへ移行。現在は企業向けのクラウドサービスも提供している。スマホやタブレットの普及によって一時業績やシェアは低迷していたが、ＤＸによって大幅にユーザーを伸ばし収益も好転した。

小売業界や音楽業界だけでなく、ＤＸは今後あらゆる分野で確実に進行する。これまでの事業モデルやビジネスの常識を壊す破壊的イノベーションが起こると見込まれており、業界を問わずどんな企業も今後生き残るためには事業環境が劇的に変化することを想定し戦略や対策を取る必要がある。

②ＡＩ（人工知能）

２０１６年3月、ＡＩ（人工知能）に関するニュースが世界を沸かせた。米国グーグル開発の囲碁ＡＩソフト「AlphaGo（アルファ碁）」が世界最強と称されるプロ棋士に圧勝したのである。実はすでにＡＩは、チェスと将棋でも人類に勝利しているが、着手の選択肢は、チェスが10の１２０乗、将棋が10の２２０乗と言われているのに対し、囲碁は10

の360乗。それはスーパーコンピュータでさえも全局面を読み切れないほどだという。

ＡＩの歴史の幕明けは、「人工物が人間のように知性や心を持つ」、そんな神話や物語の中で語り継がれてきた空想が、コンピュータの発明によって現実味を帯びたのがきっかけだった。1950年代にはゲームや定理証明の領域で第1次ブームが起き、それから1980年代には、医療や法律など特定の知識に対する質疑応答ができるプログラムが第2次ブームを牽引した。しかし、本来目指していた「本当に知能のある機械（強いＡＩ）」にはほど遠く、人間の知的活動の一部にしか対応できない状況（弱いＡＩ）が続き、次第にＡＩ研究は下火になっていく。

壁を打ち破ったのは、大量に蓄積された多様な計算資源（ビッグデータ）と「ディープラーニング（深層学習）」という新技術。従来のＡＩは、いわば与えたルールを忠実に再現することしかできなかった。対して、現在のＡＩは、与えられたデータの中から隠れた関係性を推測し、自らルールやパターンを見出し学習する。そして、データを与えるほど、その精度は劇的に上がっていくのである。1968年に公開されたＳＦ映画『2001年宇宙の旅』で登場した人工知能コンピュータ「HAL9000」が実現するのも、夢物語ではないかもしれない。

ＡＩ研究は、グーグルやＩＢＭ、マイクロソフト、フェイスブックなどアメリカの企業が先行しており、最近では中国企業の台頭も目覚ましい。2014年6月にソフトバンクが世界初の感情認識パーソナルロボット「ペッパー」を発表したのを皮切りに、ドワンゴやリクルート・ホールディングスなどが人工知能研究所をこぞって設立。翌2015年には、国内のエース級人材を集結させた「人工知能研究センター」が国立研究開発法人・産業技術総合研究所（産総研）内に発足している。さらに2016年8月には、総務省が日本語の処理能力にたけた国産ＡＩプラットフォームの構築に乗り出すことを発表した。政府としてもＡＩは成長戦略の柱と位置付けており、ビジネスチャンスは大きそうだ。

ＡＩの負の面にも触れておきたい。最大の懸念と

基礎知識
業界の仕組み
キーワード
仕事とキャリア
主要・注目企業
仕事人
業界に入るには

世界のAIスピーカー（スマートスピーカー）出荷台数の推移及び予測

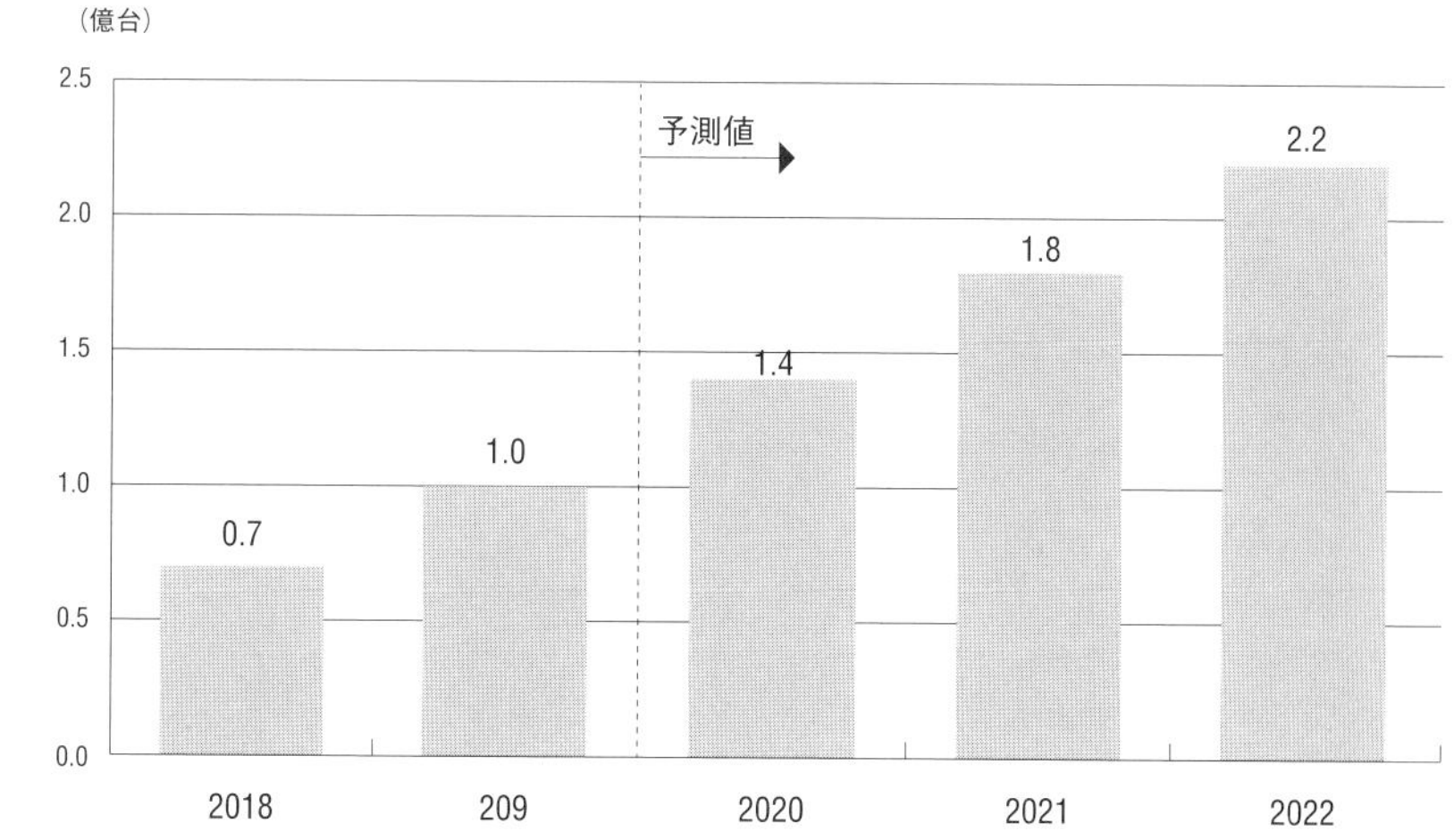

（出典）Informa

されるのは雇用危機だ。経済産業省によれば、ＡＩやロボットなどの技術革新によって２０３０年度には国内の雇用が７３５万人失われるとの報告書を発表し、衝撃を呼んだ。世界の科学者・識者たちの中には、将来的に人類が機械に管理される時代が来るかもしれないと、警笛を鳴らす者もいる。ＡＩは、良いことも悪いことも含めて可能性が大きく進歩の著しい分野なだけに話題が尽きない。

③クラウド

かつてコンピュータは、自前のマシンにソフトウェアやデータを入れて使用するのが通常だった。ところが、ソフトウェアやデータは手元のパソコンや自前のサーバーではなくインターネット上に置かれ利用されるようになった。このようにユーザーがインターネットを通じてソフトウェアやデータをＷｅｂサービスの形で利用する概念を「クラウド」と呼ぶ。なお、クラウドとは英語で「雲」を意味する言葉。ＩＴ業界では、慣例的にインターネットをサーバー群の雲の絵で表現してきたことに由来する。

クラウドが急速に広まった背景には、通信ネットワークの高速化や仮想化技術といった技術的な側面のほかに、使う側から見た便利さ、手軽さが挙げられる。サービス提供側からすると自前でサーバーを所有する必要もなく、設備投資や維持・管理費もかからない。サービス利用側からすると、場所も選ばず、使いたいときに使いたい分だけ利用すればよい。こういった特長がクラウドの魅力となっている。

クラウドのサービスにもさまざまなものがある。代表的なのが、CPUやストレージなどのIT資源を提供する「IaaS（Infrastructure as a Service）」と呼ばれるサービスだ。このほか、データベースやWebアプリケーションサーバーなどの実行環境（ミドルウェア）を提供する「PaaS（Platform as a Service）」、特定の業務アプリケーションを提供する「SaaS（Software as a Service）」などがある。Gmailや iCloud、Evernoteもクラウドサービスだ。

また、企業向けのクラウドサービスで代表的なものは、AWS、GCP、Azureなどがある。企業は社内にサーバーやハードウェアを持たなくても、インターネット上に仮想的なITインフラを構成することが可能となった。裏を返せば、ビジネス活動で必要とされるITシステムの全てを、企業単位で「所有」しなければならなかったこれまでの状況は、非常に重いコスト負担を企業に強いてきた。

企業が運用しているサーバーは、処理負荷のピークに合わせてパフォーマンスを設計しているため、通常時のCPU使用率は10～20％程度でしかない。ストレージについても同様に将来のデータ増加を見込んで設計されており、容量に30～50％程度の余裕を持たせて運用しているのが一般的だ。本来の業務で必要とする処理能力やデータ保存容量の何倍ものコストを、ITシステムに対して費やさなければならなかったわけだ。

運用管理コストやデータセンターの賃借料、電力などのランニングコストを含めれば、ITシステムを維持・運用していくTCO（総所有コスト）はさらに大きく膨らんでいく。クラウドを活用すれ

世界のクラウドサービス市場規模の推移及び予測（カテゴリ別）

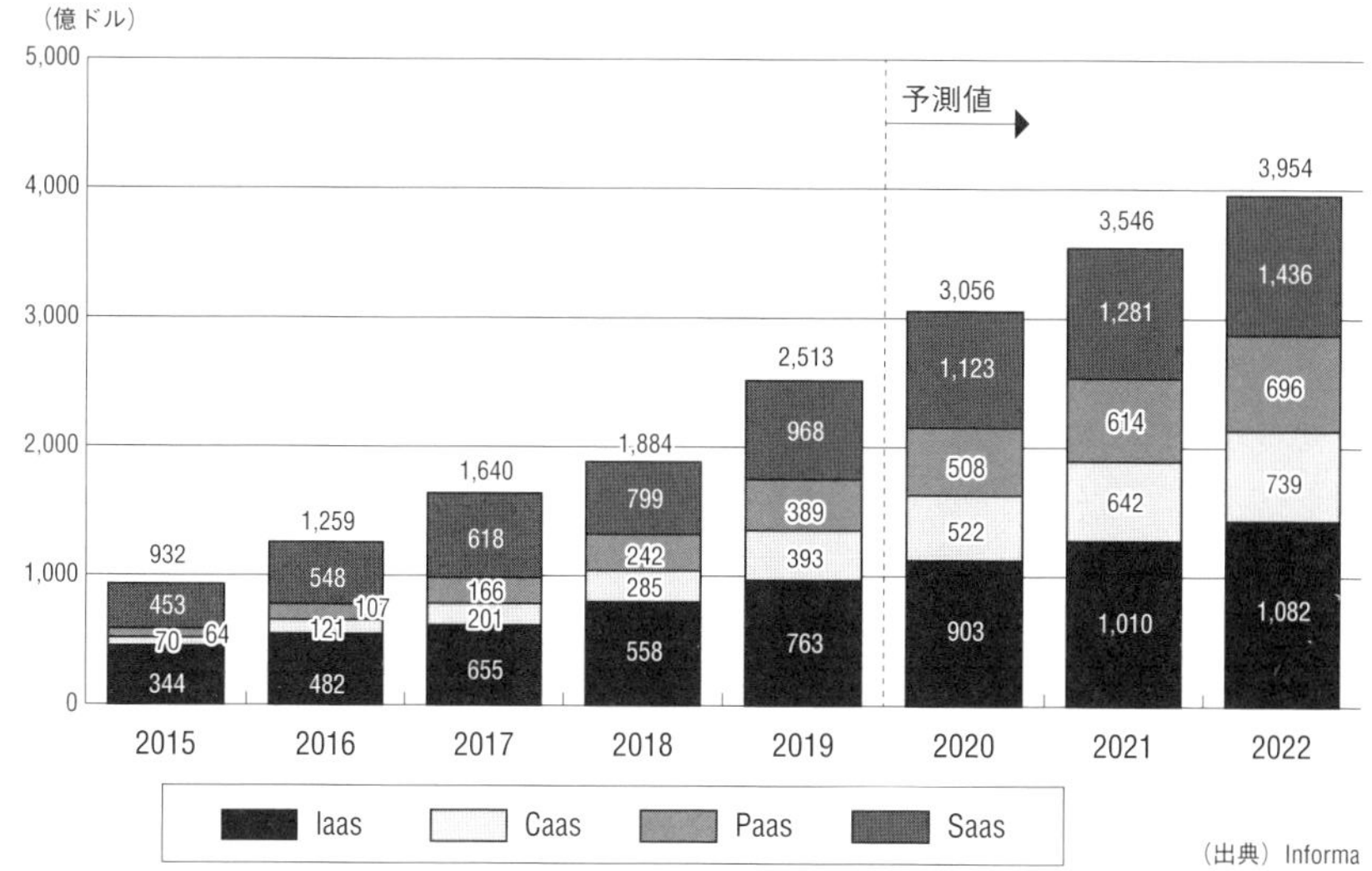

（出典）Informa

ば、企業はこうしたＩＴシステムの維持・管理にかかっていた余計なコストを劇的に減らすことができる。クラウドの台頭によってＩＴシステムは、「所有」するものから「利用」するものへと、大きな転換が始まっている。

④ＩｏＴ(Internet of Things)

「モノのインターネット」と訳されるＩｏＴは、モノ同士がネットワークでつながり、人間を介さずに相互に自律的に通信するしくみのことである。その概念自体は古くから存在し、「ユビキタス・コンピューティング」などと呼ばれていたが、近年のセンサーと無線通信技術の進歩によってセンサーを搭載したモノが急速に普及し始め、再び大きく注目されるようになった。

パソコン、スマートフォン、タブレットといったデバイスに加え、家電、自動車、玩具、ファッションアイテム、ロボット、施設など、あらゆるモノがインターネットにつながっていく。ＩＨＳ社の推定によると、２０１３年の時点ですでに１５８億個のデバイス（モノ）がインターネットに接続されており、２０２０年までには約５３０億個に達する見込みだという。また、ＩＴ専門調査会社のＩＤＣジャパンは、２０２２年には国内ＩｏＴ市場規模が12兆円に達すると予測している。

あらゆるモノとモノ、ヒトとヒト、そしてヒトとモノがインターネットでつながる未来。それは今の私たちの社会や生活様式とは全く違った世界になると言われている。もたらされるインパクトは計り知れない。たとえば、ドイツは「インダストリー４・０」と称するＩｏＴ活用の国家プロジェクトを産官学共同で推進している。インダストリー４・０とは、ドイツ語で「第４次産業革命」という意味だ。第１次産業革命は水力や蒸気機関が、第２次は電力が、第３次はコンピュータがその原動力となった。続いて、第４次はＩｏＴがそれまでの技術革新と匹敵する役割を担うとドイツは考え、国を挙げて未曽有のメガプロジェクトを推進しているのである。

日本でＩｏＴをいち早く実践した事例として知られるのが、建設機械大手のコマツによって構築された「コムトラックス」（ＫＯＭＴＲＡＸ：Komatsu Machine Tracking System）と呼ばれるシステムだ。油圧ショベルやブルドーザー、ダンプトラックなどの建設機械の各部に取り付けられた多数のセンサー（コントローラ）とＧＰＳにより、１台ごとの位置や稼働時間、稼働状況、燃料の残量、部品の交換時期などを、インターネット経由で管理する。

建設機械の稼働状況や位置を遠隔管理可能になったことで、リテールファイナンスにおける与信管理が行いやすくなり、レンタル機の稼働率も高まった。

コムトラックス搭載の建設機械は盗難される件数が少ないことから、盗難保険の保険料が下がるといった副次的な効果もあらわれるなど、今までになかった新しい価値をバリューチェーンに提供している。また、コマツにとっても建設機械の稼働状況をリアルタイムに管理することで、市場の変化に迅速に対応できるというメリットを得られる。

もちろん、ビジネスシーンでの利用だけではなく、自動運転のスマートカーや在庫管理機能を搭載した冷蔵庫、健康状態を管理してくれる腕時計など、身近な生活空間の中にすでに数多くのIoT機器が登場している。

⑤ビッグデータ

ITの利用拡大やインターネットの普及などによって膨大なデータが生み出されている。多様なデータを蓄積し高度な分析を行うことで、新しい知見や洞察（気づき）を導き出し、ビジネスや社会にイノベーションをもたらしていくというのが、ビッグデータの目指す姿だ。具体的にビッグデータとはいかなるものか。所説あり明確な定義は存在しないが、一般的には次のような特徴を持つとされている。

(1) Volume（大量のデータである。数十テラバイトから数ペタバイトの範囲におよぶ規模）

(2) Variety（多様性がある。意図的なモデル化などが行われていない非構造なもの）

(3) Velocity（更新が速い。リアルタイムに大量のデータが生成されている）

簡単にまとめると、これまで人類が扱うことのなかったほどの莫大な規模の雑多な生データと言えよう。

どんなに膨大なデータがあっても、それだけで何か大きな価値があるわけではない。解析を行い、そこから役立つ何かを発見しなければいけない。そのためビッグデータには、統計学、パターン認識、人工知能、情報工学、データマイニングなどの分野が切っても切れない関係となっている。また、そのようなデータに関する研究・分析を行う専門職として、データサイエンティストが近年注目されている。

ビッグデータの応用は、マーケティングや業務効率化、産業創出といったビジネス領域をはじめ、金融、医療、国土開発、雇用、経済、政治、防犯、軍事、生態系、自然災害、天文学、芸術、文化等、あらゆる領域におよんでいる。

そして同時に企業の基幹システムや店舗のPOSデータ、人々のメールのやりとり、SNSやブログの発信、Webのアクセス履歴、スマートフォンの位置情報、街のあちこちに設置されている電力計や

世界のIoTデバイス数の推移及び予測

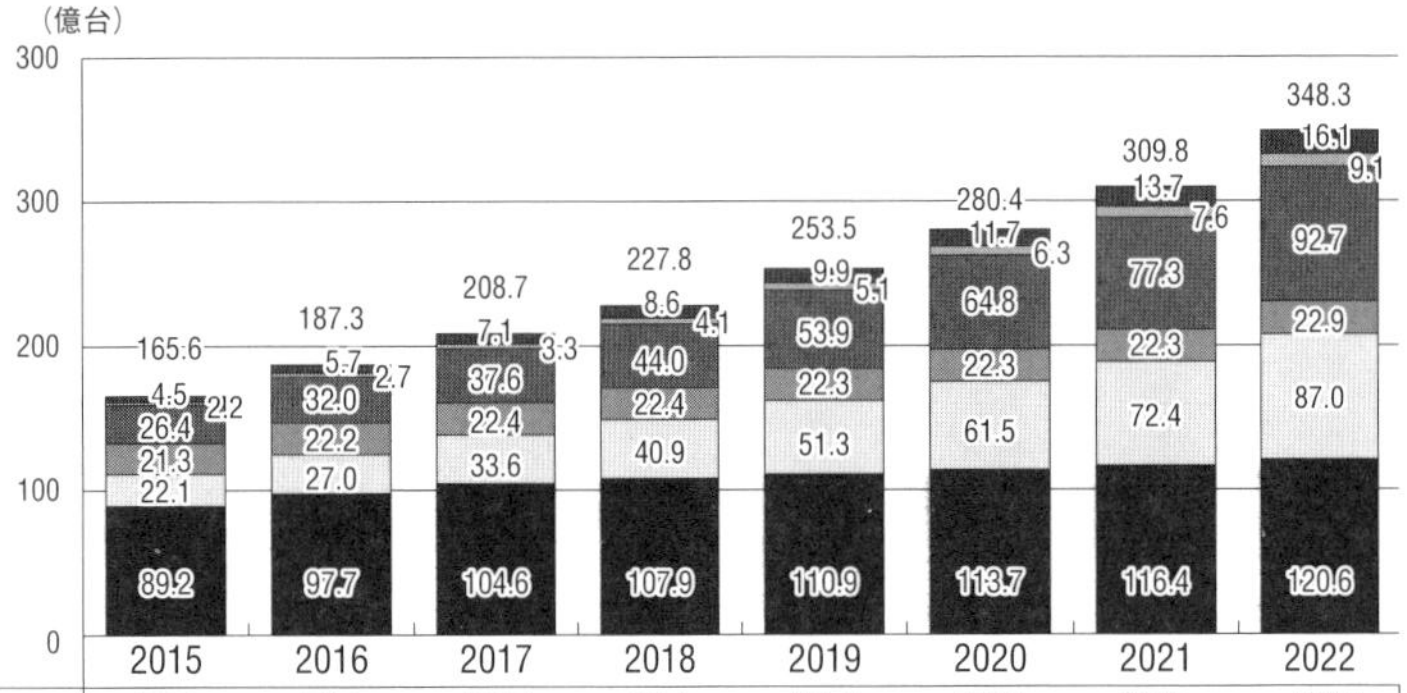

	2015	2016	2017	2018	2019	2020	2021	2022
合計	165.6	187.3	208.7	227.8	253.5	280.4	309.8	348.3
自動車・宇宙航空	4.5	5.7	7.1	8.6	9.9	11.7	13.7	16.1
医療	2.2	2.7	3.3	4.1	5.1	6.3	7.6	9.1
産業用途	26.4	32.0	37.6	44.0	53.9	64.8	77.3	92.7
コンピュータ	21.3	22.2	22.4	22.4	22.3	22.3	22.3	22.9
コンシューマ	22.1	27.0	33.6	40.9	51.3	61.5	72.4	87.0
通信	89.2	97.7	104.6	107.9	110.9	113.7	116.4	120.6

（出典）Informa

防犯カメラ、気象観測装置など、ありとあらゆる膨大なデータが日々リアルタイムで生成され、蓄積されているのである。

従来ほとんど使い捨てにされてきたこれらのデータを有効に活用していくことで、これまでずっと見過ごされてきた価値を発掘していく。もしかしたら、そこには大きなイノベーションの種が眠っているかもしれない。ビッグデータから見出されるさまざまな知見やアイデアが、社会のしくみやあり方を変えていくと考えられている。

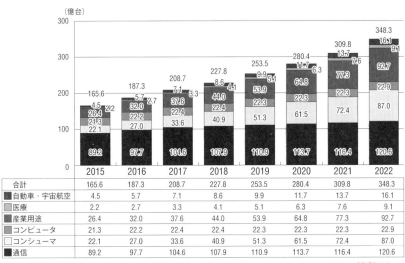

⑥テレワーク（リモートワーク）

「テレワーク」は英語で「telework」と表記される。「tele＝離れた所」と「work＝働く」の2つの言葉を組み合わせた言葉だ。リモートワークとは遠隔地（remote）と働く（work）を組み合わせた言葉。いずれも会社から離れて働くワークスタイルを指す。

テレワークとリモートワークの違いについてだが、リモートワークのほうがチームで働くという意味合いをより強く含んで使われるようだ。また、テレワークは行政によって定義されており公式文書で用いられているが、リモートワークは特に定義されておらず、主に民間企業で使用されている。アメリカではかつて大気汚染が社会問題になったり、石油危機が起こったりした際に、これらの解決策として自宅で働くライフスタイルが注目されたことがあった。また、日本では1980年代半ばに大手メーカーで都内の住宅街にサテライトオフィスが設置されるなどの動きがあり、国内におけるテレワーク導入事例の先駆けとされる。

2020年初頭からの新型コロナウイルスが国内外で急速に広まったことで、これまで長年その良し悪しが議論されてきたテレワークは、人命を守ることを第一目的として一気に普及。オフィスでの勤務中や通勤時に人と触れ合い感染するリスクがあるため、政府も企業のテレワークを積極的に推進した。

テレワークに関しては、仕事とともに家事や育児も担っている30代・40代の女性からの支持が特に高いとも言われる。自宅で仕事ができれば通勤に時間を費やすこともなく、家事や育児の両立も図りやすい。女性にかかわらず男性も、テレワークによって空いた時間を家族とのだんらんや趣味、自己啓発、健康管理などに使い、生活の質や満足度を向上させられる。社員の心身が維持されれば業務効率が上がり、会社の業績貢献も期待できる。

企業にとっては、テレワークを導入することによりオフィスの賃料や光熱費、従業員交通費などさまざまな経費の削減につながる。不必要な会議によって生まれていた無駄なコミュニケーションを減らし、本当に必要な業務に集中することで生産性向上を実現できる。また、オフィス出社を強制しないテレワークは人気が高いため優秀な人材をひきつけやすく、企業の採用力アップにもつながり、県外や国外など遠方に住む優れた人材を自社に取り込むことも可能となる。さらには地震など災害時の非常事態にも会社運営を続けられるというメリットもある。テレワークを推進するのにはIT機器や遠隔会議ツール、チャットシステムなどAI・デジタル技術が欠かせない。

⑦5G

5Gは「ファイブジー」と読む。「5th Generation」の略語で直訳すると「第5世代」だ。通信環境の進化段階によって第1世代から第5世代までに分けられる。1Gは、アナログ携帯電話などが登場した1980年代のこと。2Gはメインの通信技術がアナログからデジタルに移行し、インターネットへの接続が始まった1990年代。ネット環境が普及し通信の高速化が実現した2000年代を3Gと呼び、LTEという高速化技術やスマートフォンが普及した4Gを経て、現在の5Gを迎えた。

4Gと5Gを比較すると違いは大きく3つあり、1つ目は通信速度が格段に上がったこと、2つ目は同時接続可能数が増えたこと、3つ目は通信遅延が少なくなったことだ。4Gの通信速度は100Mbps~1Gbpsと言われているが、5Gでは最大100Gbpsとなる。つまり100倍以上も向上することが見込まれる。単純に考えれば、100秒かかっていた重いデータ通信が1秒で終わる計算だ。コンテンツの表示やダウンロードにかかる時間は圧倒的に短くなり、大容量データを利用するうえでのストレスが大幅に軽減されるだろう。

ネットの通信環境が今ほど発達していなかった2000年代は、Webコンテンツというとテキストや画像が一般的だった。2010年代に4Gとなり、クラウド技術も進化した結果、通信環境が飛躍的に向上して動画や音楽などの大容量コンテンツをネット経由で気軽に利用できるようになった。とはいえ、4Gでは時にデータの再生が遅れたり止まったりするなど、ストレスがないとは決して言えない。しかし5Gであれば動画や音楽もストレスなく利用でき、かつてのようにテキストと静止画だけでは物足りないと感じるユーザーが増えていくだろう。

最近はスマホやパソコンだけでなく、ヘッドフォンやスマートスピーカー、テレビをはじめとする家電など、無線通信を利用する機器が一般的になりつつある。そうなるとインターネットにありとあらゆる機器が同時に接続することとなり、4Gや3Gだと通信容量がオーバーしてしまう。しかし5Gなら超高速での大容量通信が可能なため、多数の機器の同時接続が実現。すべてのモノをインターネットでつなげて世の中がさらに便利になる、本格的なＩoＴ社会が実現するだろう。

5Gが実用化されることによって、単に通信が速くなること以上に社会へさまざまな好影響が生まれる。さまざまなＩＴ機器の同時接続が可能になることで、乗用車の自動運転やドローンの本格的な普及がさらに進んだり、高度な医療ロボットや人間の活動をサポートするＡＩロボットの実用化も進んだりもするだろう。一般の人たちが広く5G恩恵を受けられるようになるのは数年先だと見込まれている。しかし、いずれにしても5Gによって、今まで私たちが考えもしなかった便利な技術やサービスが、近年のうちに登場することは間違いない。そしてその先、２０３０年代に6Gが登場すれば、さらに豊かな未来社会を私たちは描けることになる。

⑧エッジコンピューティング

２０１０年代にクラウドコンピューティングが急速に普及し、今では私たちの社会生活に欠かせないインフラ（基盤）となった感もある。現在はクラウド上でさまざまなコンピュータ処理を行うことが主流だ。私たちが毎日使っているスマホやパソコンもクラウドの仕組みを利用している。クラウドの特長は、すべての利用者のあらゆるデータを集約しデータセンターで処理すること。一人ひとりが高性能のコンピュータを用意する必要がないため、クラウド上なら便利なソフトやサービスを気軽に低価格で利用できる。しかし、クラウド上ではデータの流通量が膨大となるため通信費用がかさんだり、データの転送に遅延が生じてスマホやパソコンが重くなったりするというデメリットもある。クラウドの仕組みは便利な反面、リアルタイム性や信頼性を確保できないというケースもあるということだ。

それに対してエッジコンピューティングは、スマートフォンなど各自のデバイスで情報を処理したり、利用者に近いエリアのネットワークにサーバを分散的に配置して処理を行ったりするコンピューティングモデルのこと。集中処理型のクラウドコンピューティングに対して、エッジコンピューティングはネットワーク上にある端末・機器で情報を処理したり、ネットワーク上に分散配置されたサーバーで処理を行ったりする分散処理型となる。

エッジコンピューティングは、クラウドコンピューティングと比べると、データセンターのサーバーの負荷を軽くしたり、膨大なデータ流通によって生じるネットワーク混雑を解消したりするというメリットがある。クラウドサービスへアクセスする場合は通常数百ミリから数秒のタイムラグが発生すると言われているが、エッジコンピューティングの場合は数ミリから数十ミリのタイムラグとなり、遅延をほとんど実感しないデータ処理が可能だ。

セキュリティ面でもメリットがある。クラウドサービスの場合は、データセンターに企業の個人情報などの機密データを集中的に蓄積するため、外部攻撃によるデータ漏えいなどによってデータを悪用されるリスクがある。しかしエッジコンピューティングの場合、エッジ側のローカルデバイスでデータを収集、処理することで漏えいリスクを軽減できる。

IoT（モノのインターネット）の普及によって、多数のデバイスがネットワーク接続し、大量に処理されるようになった。今後ますますIoTが進化するのは必然で、世の中には膨大なデータが流通し蓄積することになる。世界中のモノから発生するデータをすべてデータセンターに集約し処理するというモデルには限界があるだろう。近い将来インターネット上で数白億のデバイスが接続すると言われており、その中でエッジコンピューティングが注目を集めている。

⑨自動運転

自動運転とは字義どおりで、自動車がドライバーの操作をなしで動くこと。自動運転を実現するためには高度な情報技術が不可欠なためIT企業への期待は大きい。自動運転の実現によって交通事故をはじめとする深刻な社会問題の解決や、新しいサービスの誕生が見込まれる。今世界的に大きな注目を集めるテクノロジー・テーマの1つだ。

自動運転のメリットは3つある。まず1つは、自動車を利用する人が便利になること。自動運転となれば、乗車中に人は自由に活動できる。完全なる自動運転が実現されれば、乗っている人は車中で眠っていても、遊んでいても問題はなくなる。また、人の運転ではなく車両の高度な自動運転技術によって自動車走行が最適なものとなり、渋滞が緩和されるなど交通状況の改善も期待できる。

2つ目は、安全性が高まること。日本では長期的にみると交通事故死者数の減少傾向が続いているが、昨今は高齢ドライバーによる危険運転や死亡事故が社会問題となっている。人が運転することによって必ず起こってしまう人為的なミス、ヒューマンエラーを自動運転ならばなくすことが可能だ。自動運転によって社会にもたらされる安心と安全の価値は非常に高く、自動運転が今大きな期待を集める理由

自動運転のレベル分けについて

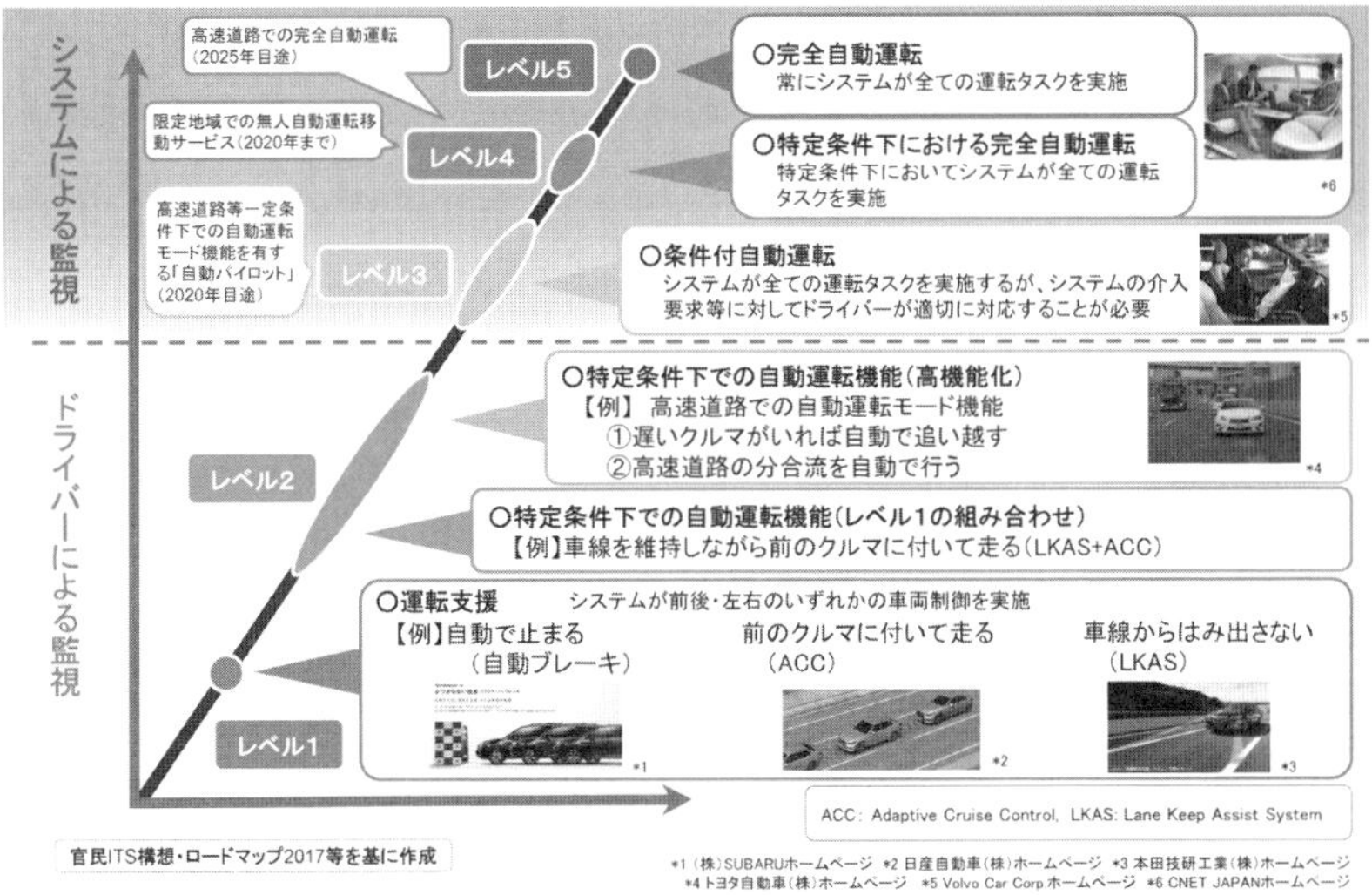
システムによる監視
ドライバーによる監視
高速道路での完全自動運転（2025年目途）
限定地域での無人自動運転移動サービス（2020年まで）
高速道路等一定条件下での自動運転モード機能を有する「自動パイロット」（2020年目途）
レベル5
レベル4
レベル3
レベル2
レベル1
○完全自動運転
常にシステムが全ての運転タスクを実施
○特定条件下における完全自動運転
特定条件下においてシステムが全ての運転タスクを実施
○条件付自動運転
システムが全ての運転タスクを実施するが、システムの介入要求等に対してドライバーが適切に対応することが必要
○特定条件下での自動運転機能（高機能化）
【例】高速道路での自動運転モード機能
①遅いクルマがいれば自動で追い越す
②高速道路の分合流を自動で行う
○特定条件下での自動運転機能（レベル1の組み合わせ）
【例】車線を維持しながら前のクルマに付いて走る（LKAS+ACC）
○運転支援　システムが前後・左右のいずれかの車両制御を実施
【例】自動で止まる（自動ブレーキ）
前のクルマに付いて走る（ACC）
車線からはみ出さない（LKAS）
ACC: Adaptive Cruise Control, LKAS: Lane Keep Assist System
官民ITS構想・ロードマップ2017等を基に作成

*1（株）SUBARUホームページ　*2 日産自動車（株）ホームページ　*3 本田技研工業（株）ホームページ　*4 トヨタ自動車（株）ホームページ　*5 Volvo Car Corp.ホームページ　*6 CNET JAPANホームページ

（出典）国土交通省

はこの点にある。

3つ目は地球環境保護につながること。自動運転は人による操作よりもムダがないため燃費改善が見込まれ、二酸化炭素の排出量削減も期待できる。燃料が少なくて済めばガソリン代も抑えられ自動車を利用する人のコスト削減にもつながる。

自動運転と一言で言っても、完全自動運転が実現するまでにはいくつかの段階がある。「未来投資戦略 2017」（平成29年6月 閣議決定）や「官民ITS構想・ロードマップ2017」（平成29年5月高度情報通信ネットワーク社会推進戦略本部・官民データ活用推進戦略会議決定）においては、2020年までに高速道路での高度な自動運転（レベル3以上）の市場化や限定地域における無人自動運転移動サービス（レベル4）の実現を目指す。また、2025年を目途に高速道路での完全自動運転（レベル5）の市場化などが政府全体目標として示された。さらに、高度な自動運転を実現するためには車両の安全基準や交通ルールなどさまざまな道路交通関連法規の見直しが必要だ。自動車メーカーやIT企業だけでなく官公庁も含めた国全体での取り組みが欠かせない。

自動運転を実現するためには、現段階で人が行っている「認知」「判断」「操作」の3つをシステムがすべて担う必要がある。車両単体の自立型システムだけで自動運転は完結しない。車両間で走行情報をやりとりするシステムや、道路およびその周辺に設置された信号などの機器と情報連携するシステムも必要で、協調型システムを構築しなければならない。そのためにクラウドやAI、IoTの技術に大きな期待がかかる。自動運転は、自動車の機能だけを高度化して済むものではなく、社会全体で協力してこそ実現できる一大社会プロジェクトだ。

⑩GAFA

AI・デジタル関連業界の研究書籍として、決して見逃せない企業群が定義された。GAFA（ガーファ）だ。残念ながら、日本企業は1社も含まれない。しかし、日本人の生活やビジネスにも欠かせな

GAFA（ガーファ）とFAANG（ファング）

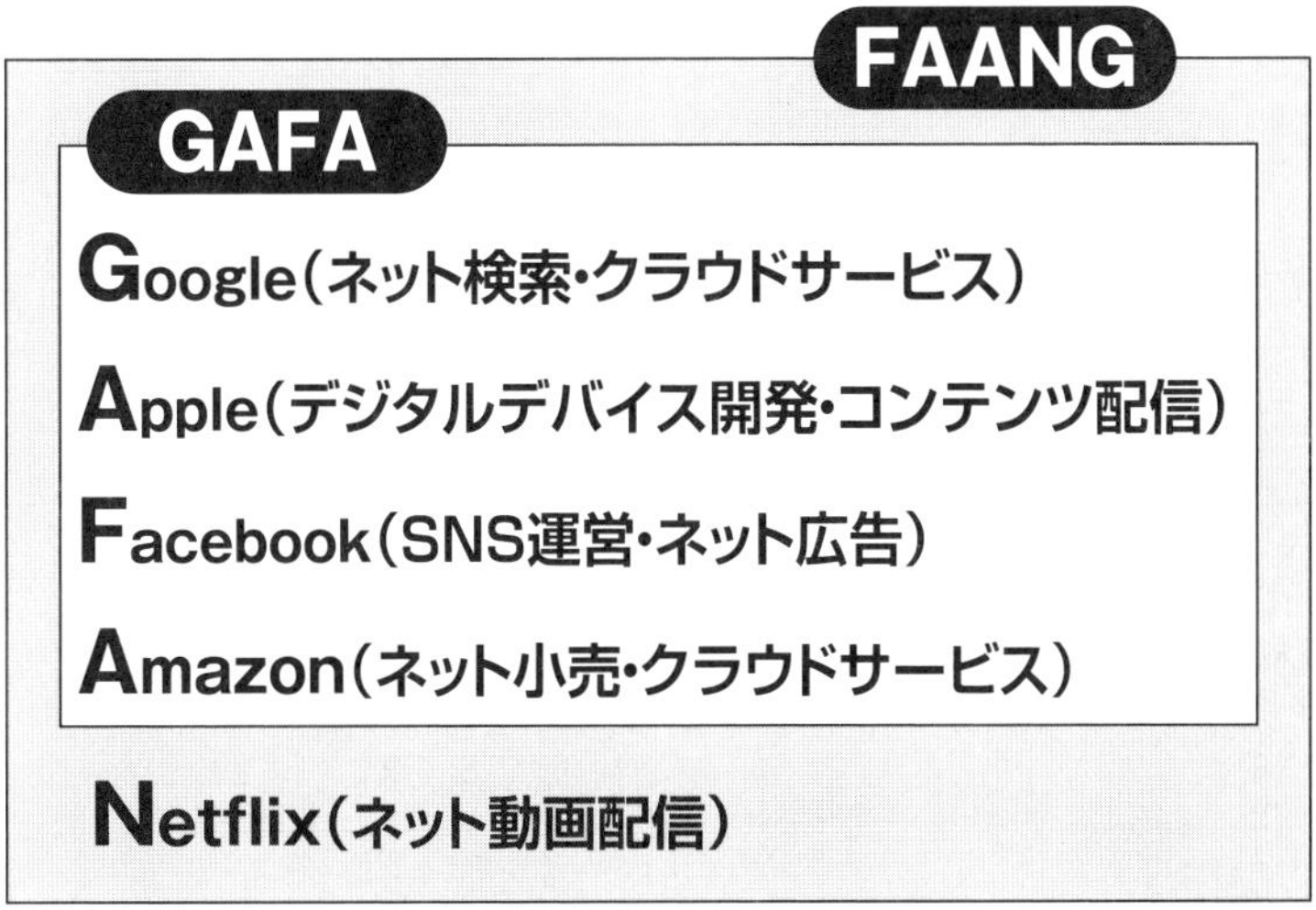

い4社だ。

GAFAとは、アメリカ企業4社の頭文字をとったもの。まずGは、「Google（グーグル）」。インターネットのキーワード検索やGmail（無料メールサービス）など一般の人もよく知るサービスだけでなく、ネット広告「Google AdSense」やクラウド基盤「GCP」などのB to Bサービスも展開し、世界中の個人だけでなく企業にも絶大な影響を与えている。

次にAは「Apple（アップル）」。パソコンの「Mac」やスマートフォンの「iPhone」、タブレットの「iPad」などさまざまなデジタルデバイスを開発して世界中に提供している。最先端のハードウェアだけではなく、音楽や動画、電子書籍などさまざまなデジタル・コンテンツを配信するサービスも運営していることが大きな特長。ソフトからハード、コンテンツまで自社ですべて提供できるというビジネスモデルが強みだ。

続いて、Fは「Facebook（フェイスブック）」。世界最大級の実名制SNS（ソーシャル・ネットワーキング・サービス）「フェイスブック」を運営している企業だ。数十億規模のユーザー情報を駆使した広告配信で莫大な収益を上げ、個人の価値観や世論形成にまで影響力を持つメディア企業の側面もある。

最後のAは「Amazon（アマゾン）」だ。世界最大級のECサイト運営企業として知られるが、同社のビジネスは今や商品販売だけに留まらない。音楽・動画・電子書籍配信や金融、クラウドまで個人だけでなく企業向けサービスも幅広く展開中だ。ちなみに楽天は、企業自体が出店する「ショッピングモール」型なのに対して、アマゾンは企業が商品を出品する「マーケットプレイス」型。ビジネスモデルが異なる。

私たちは、グーグルのおかげで分厚い辞書がなくても物知りになれた。アップルのおかげで、いつでもどこでも音楽や動画、本にアクセスできるようになった。フェイスブックのおかげで人とのつながりが増え、アマゾンのおかげでいつでもどこでも欲しいものを安く買えるようになった。世界中の人々の生活を格段に便利で豊かにした企業であることは間違いない。

しかしその一方で、社会に対してあまりに大きな影響力を持つ企業となったがゆえに、モノやサービスの価格決定に力を持ちすぎたり、他企業の成長を阻害したりして、市場でのフェアな競争を阻む存在になりつつあることを懸念する声が高まる。

ちなみに、GAFAの4企業に米・動画配信大手「Netflix（ネットフリックス）」を加えたFAANG（ファング）という呼び方もある。

⑪スーパーアプリ

子どもからお年寄りまで一般の人たちに広くスマートフォンが普及した今、スマホアプリも日常生活に欠かせないものとなっている。チャットアプリやスケジュールアプリ、地図アプリにショップアプリ、音楽アプリに動画アプリと本当にさまざまな種類がある。しかし、便利なのはよいがアプリがたくさんあって管理が大変、いちいち別のアプリを立ち上げるのが面倒だといった声も聞かれる。以前から言われていたこのような不便を解消すべく、期待されているのがスーパーアプリだ。

スーパーアプリとは、日常生活で使われるさまざまなサービスを統合したアプリのこと。メッセンジャーやSNS、決済、送金、タクシー配車、飛行機やホテルの予約、ネットショッピングなど、これまで別々のアプリで利用していたいろいろなサービスが詰まっている。1つのアプリのなかでいろいろな機能を利用でき、画面の仕様やデザインも統一されているため使いやすい。質の高いユーザー体験を提供できることがスーパーアプリの強みだ。

スマホを利用するときには、アプリを開くことからはじまる。パソコン全盛の時代はブラウザを開くことからはじまったが、今はむしろパソコンよりもスマホが中心だ。スマホを利用する際に今まではいくつもアプリを立ち上げ、ログインも頻繁に行わなければいけない。IDやパスワードの管理も大変だ。スマホを利用する際に必須のアプリだが、日々スマホをよく使う人でも実際毎日のように使うものはメールやブラウザ、地図、音楽、SNS、動画などいくつかに限られる場合が多い。スマホユーザーが毎日使うアプリは8つ程度しかないという調査も存在している。そんなにたくさんのアプリが必要なわけではなく、実は1つにまとめられるのではないかという考えにもなる。

複数の重要なアプリのサービスを統合して提供できるスーパーアプリという概念は、15年以上も前から存在していたとも言われている。5年前くらいまでさまざまなアプリが乱立する状態だったが、昨今の日本国内ではヤフーや楽天、LINEといったIT系の大手企業で、スーパーアプリの実現を目指し機能の充実や統合を目指す動きがある。

しかし、たとえばメッセンジャーとしてシェアの高いアプリ、電子マネー、SNSでは人気のアプリなど、それぞれまだ独立した強いアプリがあり、スマホユーザーはさまざまなアプリをダウンロードして使っているのが一般的だ。アジア全体に目を向けると中国の「WeChat」や「Alipay」、シンガポールの「Grab」などが代表的なスーパーアプリ。今後スーパーアプリの普及が進めばスマホユーザーの便利さは一層向上し、手のひらの上で日常生活に必要なあらゆるサービスを利用できるようになる。生活必需品としてのスマホがますます重要性を増すだろう。

⑫オンライン教育

オンライン教育とは、インターネット上で学校の授業を展開したり、教師からの指導を行ったりするなど、インターネット環境を活用したさまざまな教育活動のこと。インターネットが本格的に普及しはじめた2000年代からオンライン教育についても注目が集まり、民間の予備校や学習塾、各種スクールではオンラインでの講義や指導を提供する事業者も現れた。しかし、公教育においては長らくオンライン教育の導入が進まず、近年になってようやく授業におけるタブレット端末の活用など具体的な動きが出てきた。

2020年冬からコロナ禍が一気に広まり、4月からの緊急事態宣言によって学校も閉鎖されるとオンライン教育の必要性が突如高まり、多数の教育機関がオンライン授業を展開した。コロナ禍をきっかけとして、教育機関は今後もオンライン教育を念頭に置くことが必須となる。

オンライン教育における最大のメリットは、インターネット環境があればいつでもどこでも学習に取り組めること。コロナ禍だけではなく、その他のさまざまな事件や災害によって学校に登校できないという状況のほか、忙しかったり、通学が予算的または距離的に厳しかったりする場合でも教育を受けられる。クラウド環境やスマートフォンの進化によって、最近はスマホでもオンライン学習が可能だ。

オンラインの動画教材であれば、自分が分からないところを何度も巻戻して繰り返し勉強したり、逆に分かるところは早送りして飛ばしたりするなど、効率的に学習できる。従来の対面授業に比較すると、分からない箇所が出てきたときにその場ですぐ質問できないというデメリットもある。しかし、オンラインでも教師に個別質問できるシステムを実現することは可能だ。最後に確認問題を出して習熟度をチェックするシステムを導入すると教育効果が大きく変わるとも言われ、オンライン教育の運用には工夫や配慮が大切だ。

コロナ禍を受けた緊急のオンライン教育導入を受け、現在さまざまな課題が浮き彫りとなっている。各家庭の通信環境やＩＴ機器の活用状況、子どものパソコンスキルによって、学習効果に大きな格差が生まれることが最大の懸念だ。生徒の学習状況把握も課題の１つ。オンライン授業では視聴しただけで勉強が終わったイメージになり、実際には学習内容が頭に入っていないまま放置される可能性も高い。さらに、オンライン教育では本人の自主的な学習態度に委ねられる部分も大きく、生徒が低学年であればあるほどモチベーション管理も重要だ。

教育現場でのオンライン活用が進んでいない現状を受けて、政府は「ＧＩＧＡスクール構想」の計画を掲げ、小・中学校の児童生徒用に一人一台端末用意し、通信ネットワークの環境充実を早期に目指すとした。

本当に効果的なオンライン教育を実現するにはこういったハードウェアの整備だけでなく、教師や保護者の意識改革やＩＴスキル、指導力向上にも取り組まなければならない。戦後長らく内容的にほとんど変わっていないと言われる教員養成課程を抜本的に見直す必要もあるだろう。子どもの教育を学校任せにするのではなく、保護者も子どもの学習に興味を持ち、良いアドバイスやフォローを行い、学ぶことをともに楽しむことも大切だ。教育業界やＩＴ産業だけでなく文科省や各教育委員会、各家庭まですべてが連携し、今後のデジタル社会を生きる人材を育てる最適なオンライン教育を、世の中全体で実現すべき時が来ている。

⑬キャッシュレス

キャッシュレスとは、現金（キャッシュ）が不要（レス）なこと。お札や硬貨などの現金を使うことなく、買い物や料金支払いができるサービスのことを指す。キャッシュレスといえば昨今急速に広まったスマホ決済をイメージする人が多いだろう。2018年ごろから銀行や大手通信会社、IT企業などが次々にキャッシュレス決済アプリをリリースし、高いポイント還元率や割引を打ち出すなどして各社でシェアを競っている。個人間送金や割り勘での支払いなど独自のサービス提供を打ち出すアプリもある。スマホの普及によって、すべての人がキャッシュレスを気軽に利用できる社会になりつつある。

最近になり注目ワードとなったキャッシュレスだが、おそらく誰でもクレジットカードやSuicaなどの電子マネーで買い物をした経験があるだろう。以前からあるこういった決済もキャッシュレスの1つ。日本銀行「生活意識に関するアンケート調査（第74回）」によると、現金決済以外で最も利用されているのはクレジットカード（70・2％）だという。しかしスマホ決済の普及により、キャッシュレスの勢力図は今後大きく変わる可能性がある。キャッシュレスを実現するうえではIT・デジタル技術が不可欠なため情報関連産業への期待は大きい。

キャッシュレスが今急速に浸透している理由は、さまざまなメリットを人々が実感しているからだ。最も大きなメリットといえば、現金を持ち歩く必要がなく、支払いが簡単だということ。現金を引き出すためにわざわざ銀行へ足を運ぶ必要がなく、銀行を利用する手数料もなくて済む。また、現金を扱う金融機関や民間企業にとっては、集金や集計といった業務の管理が必要なくなり、領収書の発行や保管の手間も省ける。現金を払う側にも、集める側にもメリットが大きい。

現金では使用履歴が残らないため匿名性が高く、これまでは不正な蓄財や脱税、マネーロンダリングといった犯罪を生み出していた。しかしキャッシュレスは決済ルートが明確で、資金の流れを透明化できる。現金目当ての強盗犯罪を撲滅できる。さらに、過去に決済関連のトラブルを起こした履歴のある利用者をシステムから排除してキャッシュレスを使えなくすることによって、犯罪の抑止効果も期待できる。2020年春からコロナウイルスが世界的に流行した際には、現金の手渡しによってウイルス感染を防ぐという衛生的なメリットからキャッシュレス

各国のキャッシュレス比率比較（2017年）

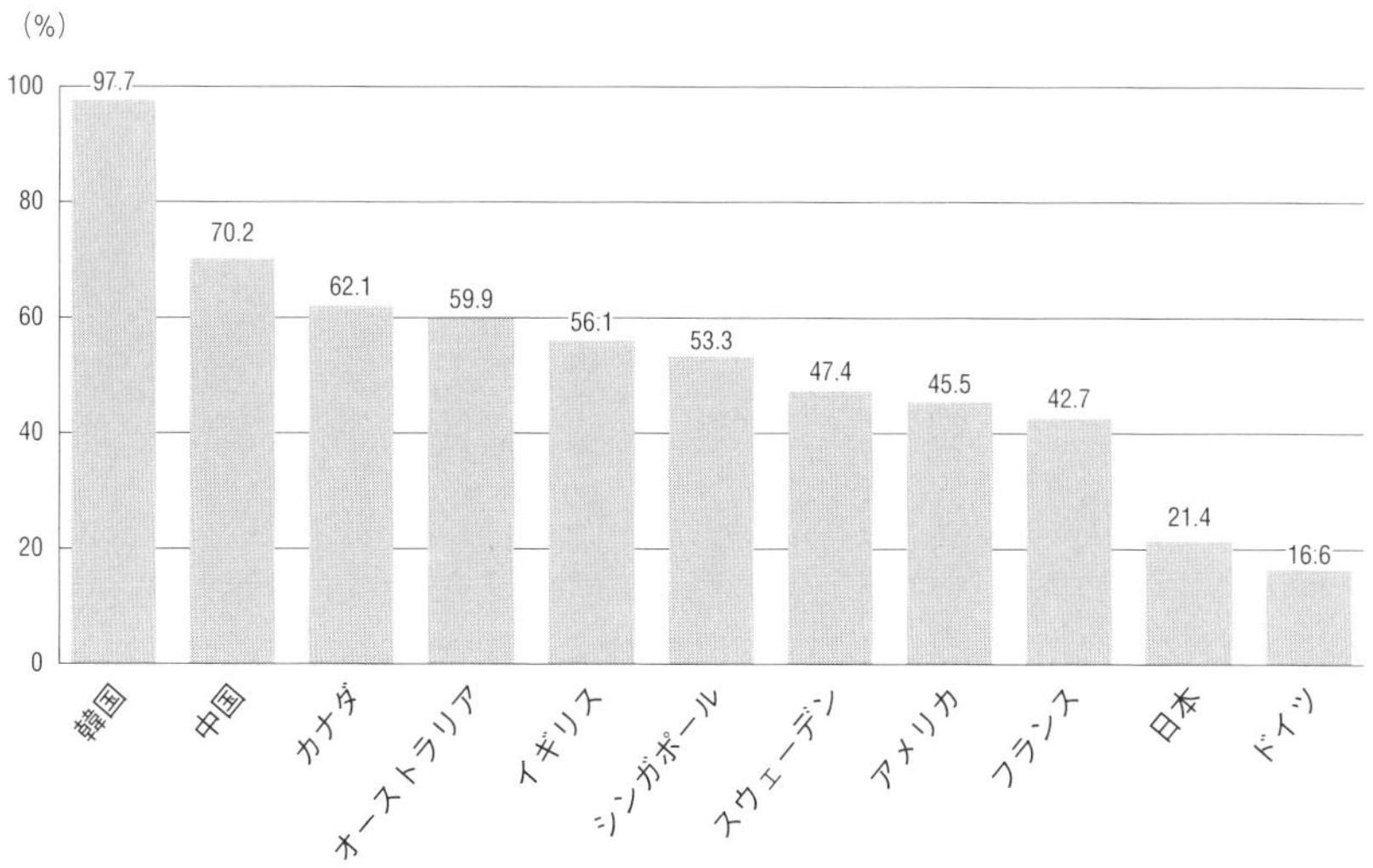

（出典）一般社団法人キャッシュレス推進協議会（2020）「キャッシュレス・ロードマップ2020」

が改めて注目された。

キャッシュレスが普及するなかでキャッシュレスを利用したがらない人もいる。最もよく言われるのは、不正利用が心配だという声だ。実際にスマホ決済を利用して不正アクセスの被害が発生する事例も少なくはない。しかし、クレジットカードやスマホ決済など多くのキャッシュレスサービスは不正利用に関する補償を備えているのが一般的だ。現金が盗まれてしまっても補償を受けることはできないため、キャッシュレスはむしろ現金より安全とも言える。

先進諸国におけるキャッシュレス比率は40〜60%台と言われているが、日本は2割程度にとどまっていると言われている。社会の利便性をさらに高めつつ現金流通によるムダやデメリットを減らすため、経済産業省が中心となり現在キャッシュレスへの取り組みを進めている。スウェーデンやノルウェーなど北ヨーロッパ諸国は、キャッシュレス先進国と言われている。アメリカではほとんどの商店でクレジットカードやデビットカードによる支払いができる状況で日本よりも便利だ。韓国ではキャッシュレス化が世界的にもトップレベルで進んでいて、すでにキャッシュレス決済が現金決済より圧倒的に多い状況にある。

⑭量子コンピュータ

量子コンピュータ（quantum computer）とは、現在のコンピュータと比べて圧倒的に高い処理能力を持つとされるコンピュータのこと。まだ実現していないが、次世代の超高性能コンピュータとして国内外で研究開発が進められている。

量子コンピュータとは何かを知る前に、スマホやパソコンなど今や私たちの日常生活で身近なものとなったコンピュータの役割について考えてみたい。コンピュータとは、言い換えるならば高性能の計算機。私たちは子どものころに数字を習い、足し算や引き算、掛け算、割り算を身につける。それによってモノを数えたり、時間を数えて日々の予定を立てたり、おカネの計算ができるようになり、日常生活を営んでいる。しかし製品を製造したり、建物を建てたり生活環境のさまざまな測定を行ったりするには複雑で高度な計算が必要だ。手計算による人間の計算能力には限界があり、大きな数の計算となると非常に多くの時間と労力を要する。それを実現可能としたのがまさにコンピュータだ。

コンピュータの原型が誕生したのは、第二次大戦下の１９４０年代半ば。１９６０年代には世界で広く実用化されはじめ、現在はスマホやパソコンなど誰でも気軽に使えるものとなった。現代の人間は子どもからお年寄りまで、コンピュータを使うことで手計算の能力を圧倒的に超え非常に高度な情報処理や創作活動、問題解決を行っている。

コンピュータの性能は飛躍的に向上したが、実は2進数演算を基本とするコンピュータの根本的な仕組みは変化していない。次世代コンピュータとして期待される量子コンピュータと対比させ、古典コンピュータと呼ばれている。

スマホやタブレット、パソコンなどコンピュータの性能進化は昨今目覚ましい。しかしＡＩやＩｏＴ、クラウドなど先端技術の実用化が進む今、コンピュータの情報処理能力向上へよりいっそうの期待は高まるばかりだ。これまでにない理論や技術でコンピュータの性能を飛躍的に改善できないかという考えのもとで量子コンピュータの研究が進む。

量子とは、粒子と波の性質をあわせ持つ微細な物質やエネルギー単位のことを言う。大学レベルで学ぶ物理学の１つで、原子や電子など非常に小さなものの動きを説明するもの。量子力学によると、原子や電子には特有の現象が起きる。「重ね合わせ状態」や「量子もつれ状態」などと言われるが、こういった量子力学特有の物理状態を用いてコンピュータを実現しようとするのが量子コンピュータだ。現在普及しているコンピュータは、情報を「０」か「１」の２つの状態いずれかに変換して処理する。それに対して量子コンピュータは、「０」と「１」双方の状態を同時表現する「Qubit」という形式で計算し、計算処理にかかる時間は１０２４分の１にもなる。

古典コンピュータと比べて圧倒的に性能が優れる量子コンピュータだが、いまだに理論上の性能を満たすレベルの技術は確立されていない。しかし着実に研究開発は進んでいて、量子情報技術は21世紀をリードする学問分野の１つになるとも言われる。GoogleやＩＢＭなどＩＴ企業や各国政府も積極的にこの分野へ投資している。

⑮生体認証

生体認証とは、指紋や静脈、声など身体の特徴を利用して本人を特定する仕組みのこと。バイオメトリクス認証とも呼ばれる。個人を特定できる身体や行動の特徴を事前にあらかじめ登録しておき、認証が必要なときに照らし合わせる。たとえば指紋認証では、あらかじめセンサーで指紋を読み取っておき、画像データとして登録しておく。認証時にはセンサーで指紋を読みとり、事前に登録されたものと比較して一致すれば本人と判断される。

従来からある認証方式として最もメジャーなパスワード認証と比較すると、生体認証は長年その精度に疑問が持たれ、正確な認証ができないのではと見なされてきた。しかし昨今、生体情報の画像認識を行うコンピュータや、生体情報を読み取るセンサーの性能が飛躍的に向上したことで生体認証が急速に普及した。スマートフォンでの指紋認証や顔認証はすでに多くの人が利用しており、日常生活のなかに浸透しはじめている。指紋や顔のほか、静脈を使った認証も広まりつつある。センダーに手をかざすと、その人の静脈を感知してその特徴から本人かどうかの認証を行う。その他にも生体認証はさまざまな種類があり、声質や耳の穴の形、DNAを利用するものまである。昨今の技術進歩によって生体認証の活用も急速に進み、世の中の安全と安心を守る重要なしくみとして一般にも広まりつつある。

従来からある鍵やセキュリティカードは、紛失や盗難、偽造のリスクがあった。IDとパスワードは、他人に知られてしまうリスクや、本人が忘れてしまうという不便さがあった。スマートフォンアプリの普及によって、電子マネーなどの金融サービスが急速に普及しているが、オンライン利用に伴う不正アクセス事件は増えている。他人のパスワードを悪用した不正アクセス犯罪のうち、約半数がパスワード管理のずさんさにつけこんだものだと言われていて、人がパスワードをいくつも管理するのがいかに簡単ではないかを物語っている。実際に多くの人が自分の思い出しやすい、つまり他人に推測されやすいパスワードを使ったり、パスワードを他人の目に付きやすいところにメモしていたりする。

生体認証の大きなメリットは、人が自分の認証情報を管理する負担を大きく減らしつつ、確かなセキュリティを実現できることにある。不正アクセスなどのサイバー犯罪を減らし、社会の安全性と安心感を高められる。また、たとえばイベント会場や大規模オフィスビルなど多くの人が利用するロケーションにおいて認証作業を効率化できる。さらに、顔認証など非接触の認証方式が普及すれば、感染症流行の防止につながる。病院や食品工場などの施設では、非接触方式が特に重要だ。コロナウウイルスが広まった2020年には、非接触方式の生体認証が改めて大きな注目を浴びた。

さまざまなメリットで注目される生体認証であるが、もちろん今後の課題もある。DNAなど一部の認証を除き、ほとんどの生体認証では精度を完全にはできない。生体情報は本人の体調やケガなどといった身体の変化、好不調によっても変わってしまう可能性がある。周囲の照明や音など外部環境によって認証精度が下がることもある。ＩＤやパスワードと異なり、生体情報は簡単に、または一生変えられないものであり、生体情報が漏えいしてしまうとリスクもその分大きくなる。生体認証を利用する際の情報管理は厳重に行う必要がある。鍵やカード、パスワードといった従来の認証と新しい生体認証をうまく使い分け、ケースバイケースで最適なセキュリティ対策を行うのが現実的だ。生体認証が急速に広まる昨今ではあるが、今後もしばらくはさまざまな認証方式が世の中に混在するだろう。

⑯ＲＰＡ

現代の日本において、非常に大きな社会問題といえば人口減少と高齢化だ。国内の全人口に占める高齢者の割合は25％をすでに超過している。つまり、日本人の4人に1人は65歳以上だ。また、平成29年版の高齢社会白書（内閣府）によると、平成77年（２０６５年）には約２・６人に１人が65歳以上になる見込み。世界最速級で日本社会は高齢化が進んでいる。

長寿者が増えることは喜ばしい反面、社会全体の労働力率低下が懸念される。シニア世代の活躍支援も進められているが、医療費をはじめとする現役世代の負担は今後増える一方だ。働く人が減るにもかかわらず、支えなければならないお年寄りは増える。日本は今後より少ない人たちで、これまで以上の利益を生み出してお金を稼ぐか、無駄な費用をいっそう抑えなければならない。

この社会問題を解決するうえで、重要な役割を担うと期待されているのが「ＲＰＡ」だ。ＲＰＡ（アール・ピー・エー）とは「Robotic Process Automation」の略。今まで人間が行っていた仕事の一部をＩＴで自動化することだ。Robotic（ロボティック）と聞くとＳＦ映画のロボットをイメージしてしまうが、そういったヒト型ロボットだけでな

RPAで自動化できる業務の事例

保険
- 新規アカウント作成
- 保険請求処理

病院
- 患者データ管理
- 医療費の請求処理

小売
- 商品情報の更新
- 注文情報の入力

政府
- 各種手続きの処理
- システム間の情報統合

く、人間に代わって自律的に作業を行うコンピュータや機械なども全て含まれる。

　企業内のオフィスワークを見ると、たとえばExcelデータ入力や交通費精算など、定型的で作業自体は難しくはないものの、ミスしてはいけない業務が大量にあったりする。こういったものを自動処理するのがＲＰＡだ。ＩＴ技術が昨今急速に発達したことで、以前は人間の手作業だった単純な業務がＲＰＡのソフトを社内に導入したりすれば自動化できる時代になりつつある。

　高度なＩＴ技術で人間の仕事を自動化する。そう聞くと、最近よく耳にする「ＡＩ（人工知能）」とは何が違うのかという疑問が湧く。ＲＰＡは、あくまで一定のルールに従い繰り返し行う単純作業だ。その一方でＡＩは、大量なデータの分析や抽出を瞬時に行える。つまり、ＲＰＡよりレベルが高いと言える。

　企業がＲＰＡを導入すれば、業務処理をスピードアップしつつ、人間によるケアレスミスをなくして人件費の大幅削減を実現できる。これまで単純作業に充てていた労働力を、人間にしかできないクリエイティブな仕事に振り向けて企業の利益を高めることも可能だ。さまざまなメリットが期待できる反面、もちろんリスクも伴う。今まで人間が行っていた大量の業務をITで自動化するため、誤作動などのシステムトラブルや不正アクセスなどのセキュリティ脅威が生じる可能性を考慮しなくてはならない。全てをIT任せにすることは危険だ。

RPAにより、私たちは退屈な仕事から解放され、人間にしかできない価値ある仕事に集中できる可能性が高まった。しかしAIと同様にRPAも、私たちが実際に使いこなせるかにかかっている。

⑰デジタルマーケティング

インターネットの登場は、企業のマーケティングのあり方を大きく変えた。それは当初、「インターネットマーケティング／ネットマーケティング」「Webマーケティング」と呼ばれ、より高度化・複雑化した現在は「デジタルマーケティング」と称して前時代のものと区別している。IT分野のマーケティングは、どのように進化してきたのか。その歴史を紐解いてみたい。

1990年代から2000年代初頭にかけて、インターネットマーケティングは、企業が自社Webサイトをつくったり、バナー広告を載せたり、メールマガジンを送ったりといったシンプルなものだった。まだまだ旧来のマスメディアが強い時代であり、企業も付属的なマーケティングの選択肢の1つとして活用していたにすぎなかったのである。

ところが、ネット掲示板やブログ、SNSといったソーシャルメディアが誕生し、企業と消費者の間で双方向のコミュニケーションが成立するようになったあたりから、マーケティングの様相は一変する。顧客の購買行動において、口コミ・レビューを通じた商品・サービスの比較・検討・評価がシビアになり、企業も無視できなくなったのだ。以降、消費者は企業からの一方的なメッセージを鵜呑みにすることはなくなり、そんな消費者を惹きつけるために企業はさまざまな手法を模索していく。アクセス解析やCRM（顧客関係管理）など顧客の実態をつかむことに注力した。

続いて、大きな節目となったのは、2007年のiPhoneの発売である。スマートフォン、その後のタブレット端末の普及は、消費者が1日の生活の中でインターネットと接している時間を急増させた。いまや店舗を探すのも、商品を検討するのも、クーポンを手に入れるのも、何もかもがネットで完結する。それはつまり、消費者の行動の大半がデジタル化・データ化されていることを意味している。消費者の購買行動のさまざまなシーン――（自社サイト・ECサイト・Webカタログ・スマホアプリ・ブログ・SNS・ネット広告等）における、さまざまな購買ステップ――（認知・検討・来店・購買・評価・体験シェア・リピート等）を包括的に捉え、統合的に最適化されたマーケティングを仕掛けていくのが、現在のデジタルマーケティングと言える。

近年のデジタルマーケティング手法のトレンドを2つだけ紹介したい。まず「リターゲティング広告」というアドテクノロジーだ。以前ちょっといいなと思った商品が忘れた頃にバナー広告に出てきたという体験をしたことはないだろうか。それはあなたの閲覧履歴から自動的に好みが解析され、お勧め（レコメンド）されているのである。次に「オムニチャネル」という試みも見逃せない。「オムニ（omni）」とは「あらゆる」という意味で、実店舗とネット通販の境界をなくし、あらゆる販路・顧客接点でシームレスなサービスや体験（エクスペリエンス）の提供を目指す。ネット通販とリアル店舗の間で相互に送客を行うO2O（Online to Offline）もオムニチャネルの構成要素の1つである。

⑱FinTech（フィンテック）

金融「Finance（ファイナンス）」とデジタル技術「Technology（テクノロジー）」の出合いによって生まれた新たな金融サービス「FinTech（フィンテック）」に近年注目が集まっている。すでに欧米では1000社を超えるフィンテック企業が誕生。評価額10億ドル以上の非上場ベンチャーを、希少な

FinTechのサービス

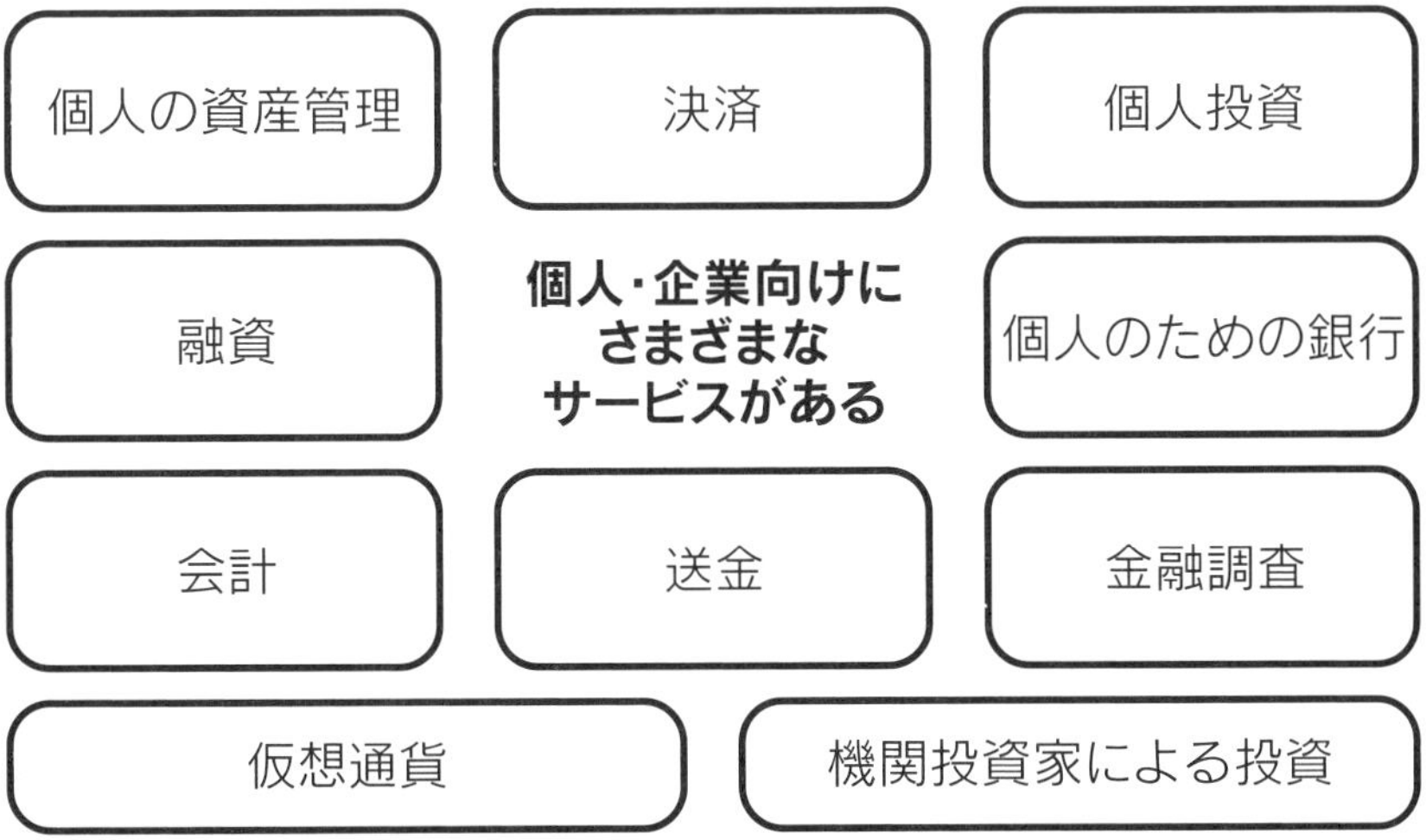

存在として伝説の一角獣にたとえて「ユニコーン企業」と呼ぶが、そのユニコーン企業がフィンテック界隈から続出しているほどのちょっとしたバブルの様相だ。

代表的なサービスとしてよく挙げられるのは、モバイル決済サービス「Square（スクエア）」だろう。専用カードリーダー（Squareリーダー）と、スマートフォンやタブレット端末さえあれば、いつでもどこでも誰でも手軽にクレジットカード決済ができる。従来のクレジットカード読み取り機は、固定のレジに有線で繋ぎ、導入に10万円ほどかかっていたのに対し、Squareリーダーの本体価格はわずか1000円弱。しかも入金までにかかる日数も短く、決済手数料も安く、無料POSレジアプリ（会計ソフト）との連動も可能というメリット満載が受け、個人商店やフリーランス、中小零細企業の人たちを中心に広まった。

米国スクエア社の創業者であるジャック・ドーシー氏は、あのツイッターの生みの親としても知られている。なお、フィンテック市場は、非金融機関出身の経営者や企業がひしめいている点も特徴だ。その理由は、２００８年のリーマンショックがフィンテック誕生の引き金となっているからである。「機能不全に陥った金融機関の代わりに、弱い立場の中小企業や個人を助けたい」そんな社会課題解決の志を持ったＩＴ企業が金融産業へ続々と参入していった背景があるのだ。

ひと口にフィンテックといっても、さまざまなサービスが存在する。モバイル決済では、「Square（スクエア）」や「Coiney（コイニー）」「楽天スマートペイ」などが有名である。他にもクラウド会計ソフト「Freee（フリー）」、家計簿アプリ「マネーフォワード」、クラウドファンディング（資金調達）サービス「Kickstarter（キックスターター）」、資産運用ロボットアドバイザー「ＴＨＥＯ（テオ）」、仮想通貨のビットコインなど百花繚乱だ。このような状況のなか、ずっと規制に守られていた国内の金融機関たちも乗り遅れないように危機感を募らせ動き出している。先の米国スクエア社との業務提携には三井住友銀行が名乗りを上げた。コイニー社とは、クレディセゾンが提携している。

また一方で、２０１６年には日本を代表する国際金融センター「東京・大手町エリア」に日本初のフィンテック企業向けシェアオフィス「ＦＩＮＯＬＡＢ（フィノラボ）」がオープン。国内の英知を集め、世界で戦えるフィンテックベンチャーの育成に本格的に取り組んでいく計画となっている。とはいえ、まだまだ黎明期とも言えるフィンテック業界。規制緩和や法整備も含め、今後の可能性に注目したい。

⑲AR／VR／MR

ＡＲとＶＲ、ＭＲ。３つとも似ているが、それぞれ異なるものだ。まずＡＲとは「Augmented Reality」の略。一般的には「拡張現実」と訳すことが多い。実在する風景にバーチャル映像やデジタル情報などを重ね合わせて表示し、目に見える情報をより豊かにする。つまり、目の前に広がる現実の世界をデジタルの力で拡張させるようなイメージだ。

ＡＲといえば、最近世の中に大きなインパクトを与えたのが「ポケモンＧＯ」。２０１６年、日本だけでなく海外でも話題になり一大ブームを巻き起こした。「ポケモンＧＯ」は、人気キャラクターのポケモンが登場するスマホゲームだが、そのヒットに一役買ったのがＡＲ。スマホ画面の中で、目の前の風景とポケモンが重なって表示され、まるでポケモンが現実世界にいるような感覚を楽しめた。架空の映像だけで構成される従来のゲームより進化したものとして、ゲームファンではない一般の人も注目した。

ゲームだけでなく、すでにＡＲはビジネスの世界でも活用されている。ＡＲを使って新しいサービスを提供している企業も少なくない。例として、スウェーデンの家具量販店「ＩＫＥＡ（イケア）」が展開する商品カタログアプリ「IKEA Place（イケア・プレイス）」がある。家具を買う前に、実際自宅に置いてインテリアに合うか試したい人は多いだろう。「IKEA Place」を使えば、部屋を写したスマホ画面に、購入したい家具を重ね合わせて表示させ、自宅での設置イメージを確認できる。

ＡＲ（Augmented Reality）に対して、ＶＲとは「Virtual Reality」の略。「仮想現実」と訳されることも多い。ＡＲと同じく人間の視覚に関する技術だが、実際には大きく異なる。ＡＲは、現実とバーチャルの視覚情報を重ね合わせるものだ。それに対してＶＲは、非常にリアリティの高い非現実の映像をスクリーンなどの限定された空間に映し出す。つまりバーチャルを掛け合わせた現実ではなく、まるで現実のように感じられる非現実なのだ。ＡＲとＶＲは似ているというより、むしろ対照的なものだとも言える。

ＶＲに関しても、すでにビジネスをはじめさまざまな分野での活用が進む。たとえば医療分野において、ベテラン外科医が担当した手術の様子を映像で記録し、若手医師が参照したり模倣したりできるよう、バーチャル映像のトレーニングプログラムを開発するといった事例がある。医療だけでなく、教育やスポーツにおけるＶＲの有用性も以前から注目されていて、たとえばプロ野球選手向けのＶＲトレーニングシステムをＩＴ大手のＮＴＴデータが開発したという事例がある。

最後に紹介するＭＲとは、「Mixed Reality」の略。「複合現実」と訳されることが多い。ＡＲをさらに発展させたのがＭＲ。たとえばＡＲ技術を利用したゲーム「ポケモンＧＯ」では、目の前にポケモンが現れても、それに近づくことはできない。しかしＭＲならキャラクターの後ろに回り込んだり、上や横から見たり、近づいてタッチしたりもできる。現実世界と仮想世界をさらに融合させ、リアリティをさらに高める技術がＭＲだ。

さらにＭＲなら、同じ空間を他人と同時に体験できる。街に出現したモンスターを皆で退治できたり、国際会議場に集合しなくても世界中の人たちとバーチャル空間で会議できたりする。ビジネスシーンでの活用も大いに期待できる新技術だ。

ＭＲ技術の研究開発で先行する企業といえばマイクロソフト。同社の「Microsoft HoloLens」を活用すれば、現実空間に現れた３Ｄ映像を手で操作できたりする。日本勢としては、キヤノンも「ＭＲＥＡＬ（エムリアル）」と呼ぶ複合現実ソリューションを提供。３Ｄデータを実寸大で現実世界に重ね合わせて表示し、特に製造業や建設業などの製品や試作品、建物の設計段階で大いに活用できる。

⑳ブロックチェーン

世紀の大発明とも称されるブロックチェーン技術のアイデアは、サトシ・ナカモトと名乗る正体不明の人物が、２００８年にメーリングリスト上で発表した電子通貨ビットコインに関する論文の中で初めて登場する。翌２００９年1月には、現実にブロックチェーンを実装したビットコインのソフトウェアがリリースされ、最初の「採掘」が行われた。そして現在では、ビットコインの構成技術だった「ブロックチェーン技術」は切り出され、仮想通過の枠を超えて、金融、ポイント交換、登記、認証、選挙投票、コミュニケーション、シェアリングエコノミー、ＩｏＴなどさまざまな領域での応用が期待されるまでに広がりを見せている。

ブロックチェーン概念図

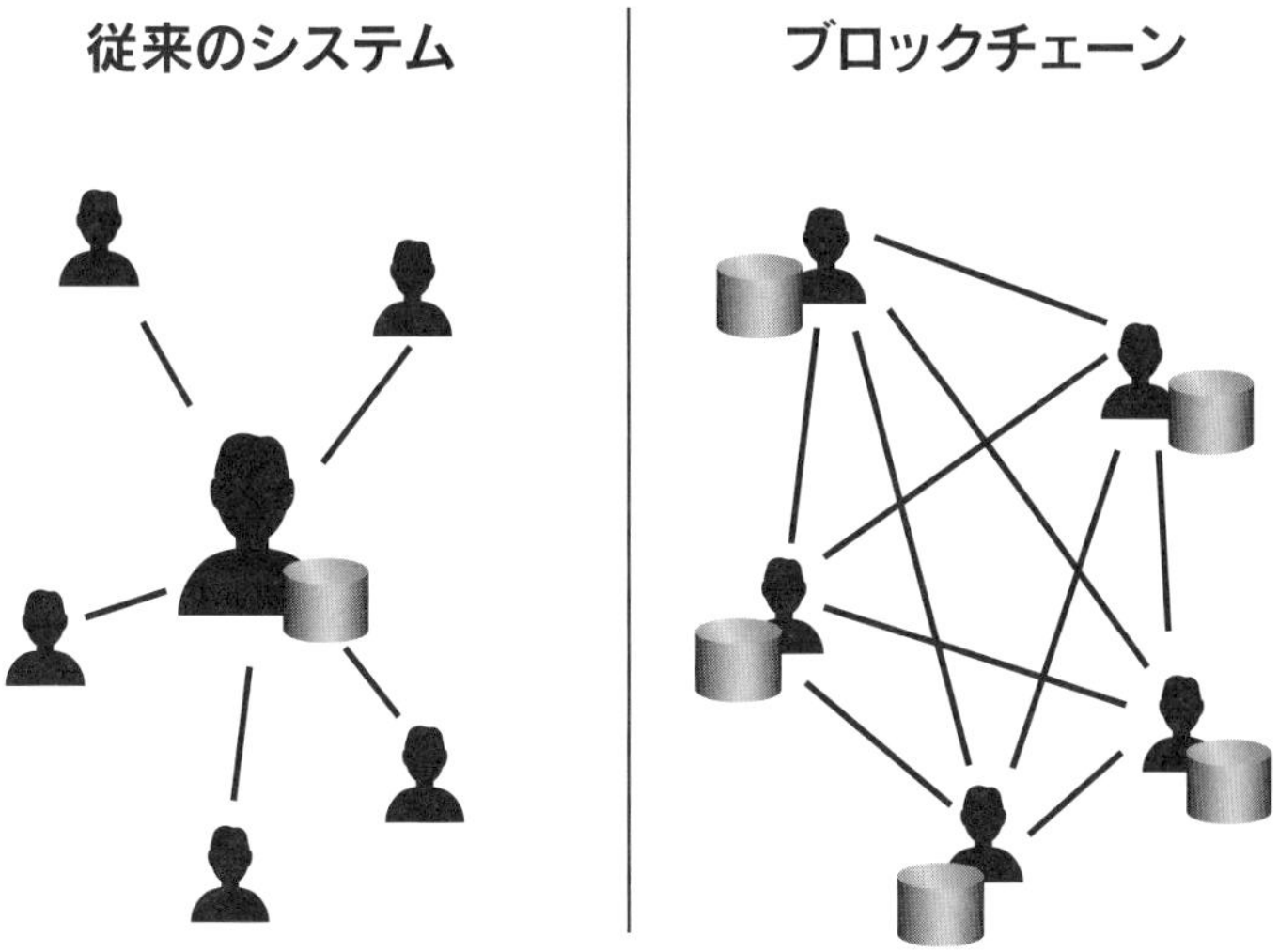

ブロックチェーン技術は、「分散型台帳技術」とも呼ばれるとおり、取引履歴（台帳）を皆で共有していくという点が最大の特徴である。たとえば、あなたへ親から送金があった場合を考えてみよう。従来の取引システムでは、親の口座からの出金情報並びにあなたの口座への入金情報は、銀行などの第三者機関が取引履歴（台帳）として一手に管理している。対して、ビットコインではネットワークにつながる全員がそれぞれ台帳を所有しており、取引が行われる毎に同一内容の情報が一斉に更新されていく。各取引情報（トランザクション）は塊（ブロック）として順々に保存・格納され、直前のブロックと鎖（チェーン）のように結ばれている。そのため改ざんが非常に難しい。なぜなら、1つのブロックに手を加えるには、過去を含む他の全てのブロックにも同時に手を加える必要があるからだ。第三者機関による中央管理者が不在でも悪意を持ったユーザーがいても、堅牢なセキュリティのもと安全な取引とエコシステムが安定的に維持できる。それがブロックチェーン技術の核心と言える。

いくつか課題も残されている。ブロックチェーンの種類にもよるが、膨大な数のユーザーの台帳を一斉に書き換えるため新ブロック生成のデータ処理が完了するまでに数秒~10分程度かかってしまい、現状、リアルタイム性が必要なアプリケーションやサービスには不向きとなっている。また、暗号化や運用にあたって法整備の必要性も指摘されている。

それでは最後に近年のサービス事例についても言及しておきたい。金融・証券分野では、2015年にスタートした未公開株式取引システム「Nasdaq Linq」（米ナスダック社）が有名だろう。流通分野では原材料から消費者に届くまでのサプライチェーンを提供する英プロヴェナンス社や、ダイヤモンドの流通経路を透明化するサービスを提供する英エバーレッジャー社。認証分野では、身分確認サービスの米ショカード社や米トレイドル社など海外を中心に数多くのベンチャーが誕生している。

㉑デジタル庁

デジタル庁とは、2020年秋に誕生した菅内閣が取り組む官庁組織改革の一貫として2022年春発足を予定している新省庁。菅内閣の目玉政策の1つが、このデジタル庁。さらに前倒しで立ち上がるとも言われ、今後の動向に注目が集まる。デジタル庁発足によって社会のデジタル化が一気に加速し、情報技術関連産業への期待はさらに高まる。デジタル技術の重要性が広く一般に広まり、IT産業やITエンジニアのさらなる地位向上にもつながるだろう。

官公庁や地方自治体に対して何らかの申請をしたり、生活上必要な手続きをする場合、紙の書類が多くて面倒だったり、窓口にわざわざ出向いたりして不便だと感じたことがある人は非常に多いはず。日本の行政は業務効率が悪いという印象は拭えず、それが行政への不満や支持率の低さにつながっている。デジタル庁の発足によって、一般の人々が気軽で快適に満足のいくかたちで行政サービスを利用できる社会が実現することを期待したい。

デジタル庁は、日本の行政全体のデジタル化を進めるための司令塔となる。各省庁や地方自治体の枠を超え、あらゆる行政機関がデータのやりとりをスムーズに行い、国民に向けてより充実した行政サービスを提供するとともに、業務効率化を高めてコスト削減、税金の無駄遣いをなくすことも求められる。デジタル庁の発足においては、最新の技術動向に対応するためにも積極的に民間人材を起用する方針だという。

デジタル庁が取り組むべき重要テーマとして、まず挙げられるのはマイナンバーカードの活用。２０１５年に国民全員へマイナンバーの通知がスタートし、マイナンバー制度の運用がはじまったが、マイナンバーカードは数年たっても普及率は低く、効果的に運用されているとは言えない状況が続く。

そこでデジタル庁は、国が発行する各種免許証や資格証とマイナンバーを情報連携させたり、国民一人ひとりの銀行口座とマイナンバーを紐づけたりして、行政サービスの利便性を高める必要がある。

デジタル庁の取り組みによって国民は今後、行政手続のさまざまな場面でマイナンバーを利用することになるだろう。マイナンバーカードと免許証、資格証が連携、または一体化されれば、それらの情報をスマホで利用しやすくもなる。たとえば引越時の住所変更などさまざまな手続きがスマホで行えるようになるかもしれない。また、各種書類やカードのデジタル化が進めば情報の偽造が難しくなり、悪用が減ることも見込める。

役所で何か手続きをしなければならないとなると、たとえば平日に半日、会社を休んでわざわざ足を運ぶなど不便であることが当たり前となっていた。しかし、今後は変わるかもしれない。デジタル庁の取り組みによって行政のオンライン化が進めば、国民の必要な手続きはすべてインターネット上で、しかも24時間・３６５日いつでもできるようになるかもしれない。現在、オンラインで行える手続は全体の５％に留まるとも言われていて大変低い。行政のＩＴ化が非常に進んでいるヨーロッパのエストニアで

基礎知識
業界の仕組み
キーワード
仕事とキャリア
主要・注目企業
仕事人
業界に入るには

は、ほぼすべての手続きをオンラインでできるという。情報技術を効果的に活用して国民生活の利便性を大幅に向上させるため、デジタル庁に寄せられる期待は大きい。

Chapter4

ＡＩ・デジタル業界の仕事とキャリア

Ⅰ 職種分類

将来性が高い業界でやりがいを持って働く 社会基盤を担い、社会に新しい価値を生む

世の中にはさまざまな仕事があるが、そのなかでも情報関連系の職種は将来性が高い。菅政権がデジタル庁の創設を主要政策として掲げたように、ＡＩやＩｏＴ、クラウドといった高度な情報技術の活用は、もはや個人の問題ではなく社会全体の課題としてとらえられている。世の中のデジタル化が推進されることにより、ＡＩ・デジタル人材の需要はますます高まる。

電気やガス、水道と同じく、インターネットやスマートフォン、クラウドなど情報関連の技術やサービスは、単に便利なものという認識を超え、すでに私たちの日常生活や財産、生命も守る社会基盤（インフラ）となっている。地球温暖化の影響もあり、昨今は自然災害が頻発しているが、ネットやスマホ、ＳＮＳなどが救助や復興に大きな役割を果たすことは、すでに多くの人が知るところだ。

２０２０年急速に広まった新型コロナウイルスについても同じで、感染防止策の企画・実行やワクチン開発など、その克服に向けてはＡＩ・デジタル技術が役立つ。日本国内では少子高齢化が叫ばれて久しいが、今後の社会が直面する深刻な人手不足を解消するためにもＡＩ技術を活用したロボットの開発・導入に期待がかかる。

グーグルやアップル、アマゾン、フェイスブックなどの企業が実証しているように、クラウドやＡＩ、ＩｏＴなどの先端ＩＴ技術は社会に新たなサービスを誕生させ、新しい価値を提供する。20世紀に登場

仕事4類型

企画設計系

コンサルタント
アーキテクト
プロデューサー/ディレクター
プランナー/エディター
など

営業提案系

広告営業
システム営業
プロダクト営業
HR営業
など

設計開発制作系

システムエンジニア/プログラマー
インフラエンジニア
プロジェクトマネージャー
ライター/デザイナー/
コーダー/フォトグラファー
など

運用支援系

社内SE
ユーザーサポート
システム運用・監視
インストラクター
など

し世界中の人々の生活スタイルを変えた自動車も、今着実に自動運転へと向かっており、安全性の向上はもちろん、新たな便利さや豊かさを提供し、ライフスタイルや価値観の変化をもたらすだろう。ＡＩ・デジタル技術に精通した人材になることで、これからの社会に大きな貢献ができる。

　しかし、なりたいからといって誰でもなれるわけではない。仕事をするためのスキル、適性がなければ入社しても活躍できない。全くの未経験から育成してくれる会社も多いが、テクノロジーに関わる業界は、自らのスキルで勝負するのが基本。まず自分は何に興味があり、どんなことが得意で何の仕事がしたいか自己分析が必要。希望職種が決まったら、その分野のスキルをひたすら高めていく。確かに容易ではないが、将来性の高い業界だけに、意欲と努力が結実する可能性は他の業界よりも高い。

2 提案する人

広告営業

広告は、パソコンやスマートフォンなどでバナーやテキスト、その他動画などを展開し、ユーザーの商品購入や資料請求などを促すことが目的だ。ネット広告やWeb広告と称されるのが一般的だが、クリックの回数で課金されるクリック型広告や、どれだけ売上につながったかという成果に応じて課金される成果報酬型、その他、アフィリエイトやバイラル広告、消費者の行動履歴をもとに広告を表示させる行動ターゲティング型広告といった形態も存在する。

広告営業の仕事内容としては、クライアント（顧客企業）が抱えている課題に対して、どのようなWebプロモーションが最適かを導き出し、ときにさまざまな広告手法を複合的に活用することで売上アップに貢献することが求められる。もちろん、ただ提案し実行して終わりではなく、効果の検証や課題を改めて洗い出し、再び実行するというPDCAサイクルを回すことが重要とされる。クライアントの広告費を無駄にしないためにも、「何を・誰に・どのように」を熟考し戦略を策定することが求められる。

システム営業

クライアント（顧客企業）の業務を分析し、問題に合わせた情報システムの企画、構築、運用などの提案を行うこと。それがシステム営業の主なミッションとなる。最終目的はクライアントの抱える問題を解決すること。場合によっては他社製品を組み合わせることもある。特定の製品やサービスを販売するより、クライアントに最適なソリューション（課題解決策）を提案できたときにやりがいが大きいだろう。

最適なソリューションを提供するためには、社内のコンサルタントやSE、プロジェクトマネージャー、ネットワーク・サーバーエンジニア、そしてパートナー会社のエンジニアも含めた組織体制のコーディネートを行う必要がある。さらに契約までの過程で、仕様に細かい調整や変更がなされることも往々にしてありえる。普段から他部門の動向にも気を配り、相互に助け合えるような信頼関係を築くことも重要だ。いわゆる根回しにも、気を使うべきだ。営業としてのビジネス作法はもちろんのこと、粘り強い交渉力や、ときにクライアントと社内の間で板挟みになることもあるため精神的タフさも求められる。

ＡＩ・デジタルに関する知識をどの程度身につけるべきかについてだが、さまざまな業種・業態の企業が提案先となるため、交渉を円滑に進めるためには、特定の分野に傾倒するよりも、広範囲に一定の知識を身につけるのがよいだろう。

プロダクト営業／ソリューション営業

パッケージシステムなどの製品を提案するプロダクト営業に対して、人材や複合商材を提案するのがソリューション営業だ。目に見えないものや、形のないものを提案することが多いのが業界の特徴だ。

クライアント（顧客企業）にしてみれば、たとえその商品の性能・機能・コストパフォーマンスが他社の製品を凌駕するものであっても、必要がなければ買いたいとは思えない。「これはとても良い製品です」といって快く購入してくれるような、心優しき人や企業と出会う確率は低い。その製品が自分たちの業務に最適であり、期待どおりの効果を上げてくれるという確信を得られなければ、購入に至ることはないのだ。営業として成果を出すには結局のところ、クライアントの業務の状況や課題について十分にヒアリングし、クライアントの業務課題をどれだけ効果的に解決できるのかを説明する必要がある。

そもそも、そのプロダクトやソリューションの機能の有無や性能の優位性は、クライアントのニーズに対する結果であり、それがプロダクトの価値全てを決定するわけではない。そのためまず、そのプロダクトが生まれた背景や意図をクライアントに正しく理解してもらうことからがスタートとなる。

そして自社の業務にうまく適合できるかどうかを検討してもらい、適合できないと判断されれば、そこで終わりではなく他のプロダクトやソリューションとの組み合わせやカスタマイズをどうすればよいか、その点をクライアントと議論し合意を得られるように提案する。それが仕事の本質だ。

ＨＲ営業

「提案する人」の仕事には、モノやサービスだけではなく、人材提案もある。それがＨＲ営業だ。ＩＴ系の人材提供を表す別称として従来から業界で使われている言葉はＳＥＳ。ちなみにＨＲとは（Human Resources）の略。まさに人材という意味だ。

ＳＥＳとはシステムエンジニアリングサービスの略で、システムやソフトウェアの開発・運用で行われる委託契約を指し、自社もしくは派遣事業も行っているような会社であれば、自社に登録しているエンジニアをクライアント先のオフィスに常駐させ、技術的なサービスを提供することである。技術者の労働を提供すること、というとイメージしやすいだろうか。

ＨＲ営業はクライアントからプロジェクト概要や開発に必要な人員体制をヒアリングし、場合によってはその場で提案可能なエンジニアを紹介することもある。話がまとまれば、エンジニアに派遣先の企業やプロジェクトについて伝え、合意が得られれば、即座に常駐業務がスタートすることになる。

昨今は、Ｗｅｂ上で企業とフリーランスのエンジニアのマッチングがはかれるサービスが台頭しており、すでに市場を席巻しつつある。しかし人材コーディネーターの必要性が揺らぐことはないと言えるだろう。企業にとって人的課題の解決をサポートしてくれる存在は欠かせない。そしてエンジニアのなかにも、自分の適性に合った職場を導いてくれる存在を必要としている人はまだまだ数多く存在する。

企業・エンジニア双方のニーズや課題をくみとり、適切にコーディネートするには、やはり人の感性や思いやりが必要なのだ。人のために役立ちたいという思いを抱える人には、HR営業という仕事はマッチしていると言えるだろう。

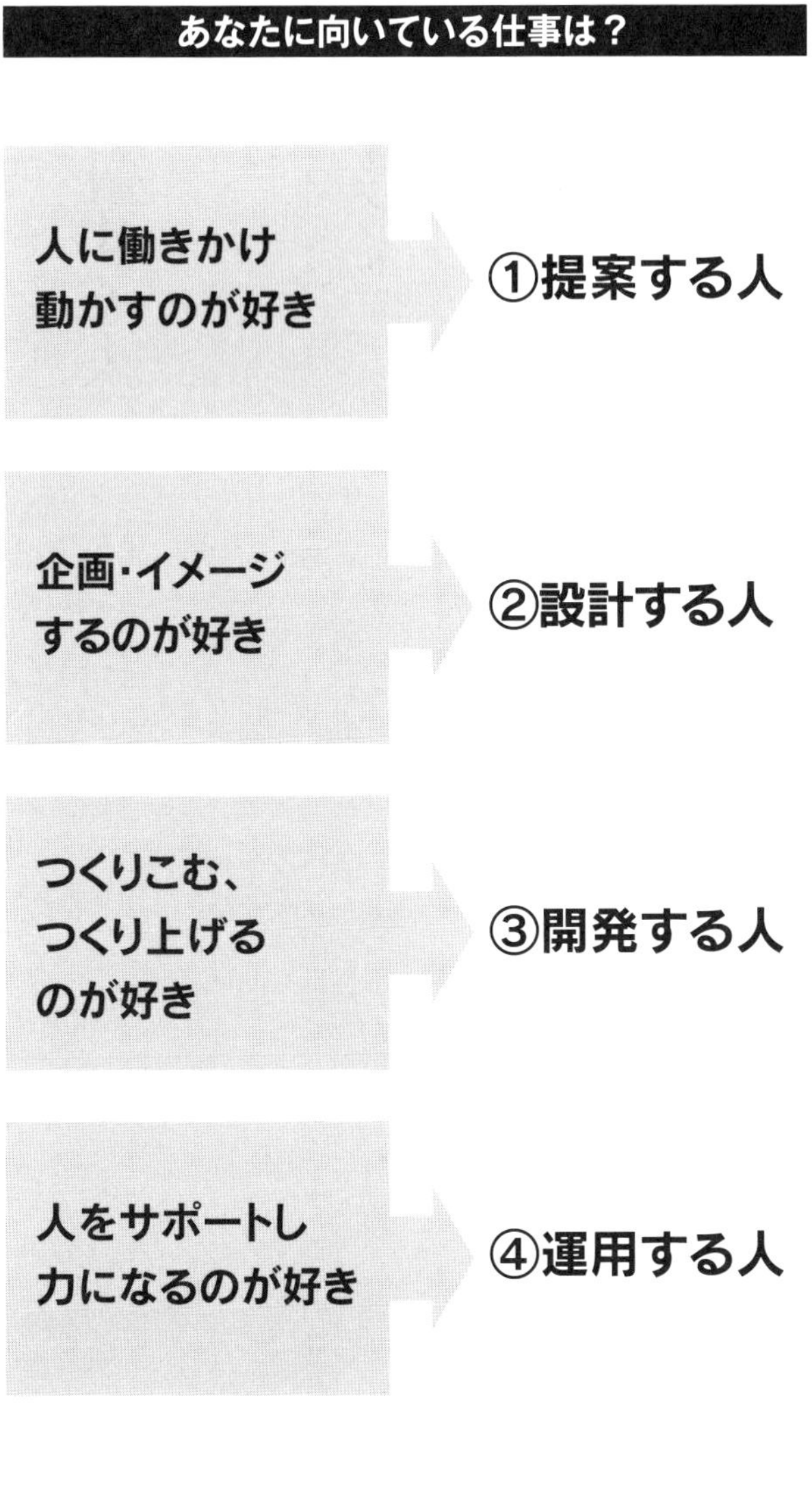

3 設計する人

コンサルタント

業界のなかでも人気職種といえばＩＴコンサルタントだ。営業系職種は現場の課題を解決することが主となるが、ＩＴコンサルタントは、現場の課題も含めたＩＴ戦略を担う。経営に近いフィールドで手腕を発揮することが求められる仕事だ。

　ＩＴコンサルタントが活躍している企業は、主に次の形態の会社が多い。１つめは、ＳＩｅｒ《エスアイヤー》（システムインテグレーター）。２つめは、ＩＴコンサルティングファームだ。前者は、自社の情報システムを売ることが主な目的となる。後者は、情報システムを売ることも目的には含まれるが、大局的にみればソフトウェアやハードウェアなどあらゆる商材を駆使して、クライアントの経営課題の解決に寄与することが最大の目的となる。

　提案先は、中小企業から大手企業まで幅広く、単にシステムの導入を提案するのではなく、経営ビジョンの策定、事業戦略、ＩＴ戦略、組織戦略など、大局的な視点でクライアントに提案することが求められる。つまり、ＩＴのチカラでいかに経営効率を高め、売上アップを実現するかが問われる仕事だと言える。

　ありがちな失敗として、経験不足ゆえ、もしくは受注することのみに傾倒したばかりに大風呂敷を広げてしまい、おおよそ予算的・技術的に実現困難なことが徐々に判明し、結局、絵に描いた餅で終わることが挙げられる。自社の技術的・人的能力を把握し、その課題解決策は現実的なのかを自らに問い続けることが重要だ。

コミュニケーション能力はもちろんプロジェクト全体を見渡せる視野の広さ、関わるエンジニアを引っ張り鼓舞する管理能力が求められることは、容易にイメージできるだろう。

では、より深く求められる要素（能力や思考）についてみていこう。ITコンサルタントに求められる要素は、大きく3つと言われている。1つめは、問題解決能力。クライアントの抱える課題に対して解決策を提示する能力だ。課題を論理的に整理し、解決までの道筋を組み立てること。そしてそれをロジカルに説明できる能力が必要とされる。

2つめは、プロフェッショナルマインド。ITコンサルタントはクライアントの経営の深部に関わるため、高い倫理観や強い責任感が求められる。また期待どおりの活躍では心もとない。期待を凌駕する成果で応えなければ、この職種の存在意義は薄れてしまう。いかにすれば付加価値を提供できるかということを常に考え続ける必要がある。

3つめは、体力と精神力だ。プロジェクトが完了するまで時間的なことや人間関係でさまざまな壁に直面することは避けられない。肉体的にも精神的にもすり減ることは、覚悟したほうがよい。華やかなイメージを持たれがちだが、実際はきつくてつらい側面もある。

覚えることも、研鑽すべきことも、きついことも多い。それがITコンサルタントのリアルだ。しかしそれだけに提案したシステムが稼働し、お客さまに「導入してよかった」と言われた瞬間のやりがいは、この仕事だから味わえる醍醐味であることは間違いない。PGやSEという過程で、しっかり知識や技術を習得し、基礎を固めたうえで目指すのもよいだろう。知識も熱意も経験も伴わないITコンサルタントに貴重な時間を割くクライアントはいないのだ。

アーキテクト

いうなればITコンサルタントの相棒、それがアーキテクトだ。一般的には、プログラマーやシステムエンジニア、ネットワーク・サーバーエンジニアといった現場レベルの実務者よりもポジションが高くて裁量や権限があり、比較的報酬の高い職種として認識されている。ただしその職種像はまだあいまいで、業界の具体的な統一イメージというものはない。

仕事内容はシステムの仕様や構造を決め、設計し、エンジニアをまとめること。システム開発の方向性を決める人とも言える。クライアント（顧客企業）の業界動向の把握と深い技術的理解、わかりやすく伝えることができるコミュニケーション能力を求められるが、複数のベンダーの製品を取り入れるケースも多々あるため、ときには各社の意向をとりまとめる政治的な調整力も求められる。ＩＴコンサルタントの相棒的存在だけに多忙な日々は免れない。

システム開発とは、納期との戦いとも言える。戦いに勝利するためには、開発効率を維持・向上させる必要がある。自社もしくは協力企業のスタッフの能力も考慮したうえで人員を配置し、工程管理を密に行うことが求められる。状況に応じて臨機応変に開発の優先順位を決定することも重要だ。人員不足が原因なのか、技術的な壁に直面しているのか、またハード・ソフト的な課題があるのか、あらゆる角度からプロジェクトの進捗を見つめ、その時々に応じて指示を出さなければならない。まさにプロジェクトという船の船長という表現がしっくりくる職務だと言える。一足飛びには到達できないポジションであることは間違いない。業界やシステム開発にまつわる知識を蓄積し、コミュニケーション能力とマネジメント能力も同時に磨いていく勤勉さが必要となる。

プロデューサー／ディレクター

どちらの職種も目にする機会は多々あると思うが、どう違うのかと問われて具体的に答えられる人は多くないだろう。両職種のほかにも、後ほど説明するがプランナーというポジションもあるため、業界に明るくない人にとっては混乱をきたす恐れがある。

まずプロデューサーというのは、コンテンツ制作プロジェクトのトップに立つ統括責任者のこと。クライアント（顧客企業）との交渉や予算折衝、コスト管理などのほか、プロジェクト全体を俯瞰的な立場からマネジメントする役割を担う。お金の管理と交渉・折衝が主な職務と言える。コンサルタントやプロジェクトマネージャーといった職種は情報システム開発案件に関わる人であり、プロデューサーやディレクターというのは、映像や音楽、動画、Webサイトなどコンテンツ制作案件に関わる人のことである。

ディレクターはプロデューサーの片腕的存在だと言える。ディレクターという名がつくだけに、主に人を動かし、スケジュールを管理する現場監督としての役割を担うことになる。

制作という仕事は、都合よく縦割りにすることは難しく業務間の境界があいまいだったりする。そのためディレクター的なプロデューサーがいれば、プロデューサー的なディレクターもいたりするから、ややこしかったりする。

ただ両職種に共通するのは、プロジェクトをゴールまで導き、何か問題が発生したときには先頭に立って処理する、という責任感を持たなければならないこと。制作にまつわる知識や技術に関する理解は当然として、問題処理能力や問題回避能力などいわゆるヒューマンスキルを磨くことも大切だ。

プランナー／エディター

プランナーとは、クライアントがPRしたい商品やサービスを、さまざまなWebサービスや機能、デザインを組み合わせて世の中に発信する案や計画を練る人のことを指す。

最新の動画表現技術やWebページのデザインの流行、色彩やフォントの効用などを熟知することが求められ、また広告がどの位置にあれば、クリック率が上がるのかなどについて、人間の心理や行動分析、統計データなどを用いて語れる必要もある。そして自ら考えたプランについて、社内はもちろんクライアントにも納得がいくように説明できなければならない。むろんクライアントから要望があれば、

Ｗｅｂデザイナーなどの制作メンバーに適切に伝える必要があるため、クライアントと現場をつなぐ架け橋的な存在だともいえるだろう。アイデアベースの仕事となるだけに、自由なイメージをもたれがちだが、実際は重い責任が伴う仕事だったりするのだ。

エディターだが、日本語訳すると編集となる。それだけで何をするのか、ある程度想像がつくと思うが、インターネットメディアの企画立案からはじまり、自ら記事を制作することもあれば、外部ライターを選定し依頼することもある（ただし修正や加筆はディレクターが行う必要がある）。コンテンツやクリエイティブをビジネスとして成立させるのが、この仕事の職務だといえる。

近年では、ＳＮＳを経由してコンテンツを発信する場面も多くなっている。そのため、マスではなく個を意識した記事や広告づくりの重要性は一層色濃いものとなってくるだろう。業界について幅広い知識を備えることはもちろん、読みやすい記事を書けるよう日本語を学び続けることも重要だ（英語版など海外向けの記事も手がけるなら語学力も）。

4 開発する人

システムエンジニア/プログラマー

システムエンジニア(以下SE)とプログラマー(以下PG)、この2つの職種もまた境界があいまいな職種だったりする。両者の役割をシンプルに表現すると、クライアント(顧客企業)の求めるシステム開発要件に応じて、SEが仕様書や設計書を作成し、それをもとにPGがプログラムを組むと言えるだろう。

では両者の具体的な仕事内容をみてみよう。SEは、システムやアプリケーションの導入を希望するクライアントと話し合い、どのようなシステムを実現したいのか要件をヒアリングし、備えるべき機能を決めていく。この作業は、要件定義と言われる。

次に実際にユーザーが使う画面構成や情報の格納方法、プログラムの構成などシステムやアプリケーションの骨格を決めていく。これを設計と呼ぶ。要件定義は要件定義書に、設計は設計仕様書にまとめ、その後クライアントの確認作業を経て開発内容が決定される。開発費用の承認もこのタイミングで行われることが多い。

その後、PGに仕様を説明し本格的に開発が始まれば納品まで開発がスケジュールどおり進んでいるか管理を行うことになる。システム稼働後もなんらかのトラブルがあれば、改修の先頭に立ち、必要に応じてクライアント先へ出張ることにもなる。これがSEの仕事の大まかではあるが全貌だ。

続いてPGをみてみよう。PGは、Programmingを行う人、ということでプログラマーと言わ

基礎知識
業界の仕組み
キーワード
仕事とキャリア
主要・注目企業
仕事人
業界に入るには

れるが、この仕事の種類は大きく3つに分けることができる。⑴受託開発、⑵パッケージ開発、⑶Webサイト開発だ。

⑴の受託開発はクライアントの要望に基づきオーダーメイドでソフトウェアを開発すること。⑵のパッケージ開発は、パソコン用の表計算ソフトや会計ソフトといった市販のパッケージソフトを開発すること。⑶のWebサイト開発は主にネットビジネスを展開する企業に勤務し、サイト上の機能を開発することを指す。

PGはプロジェクトの規模によって役割が変わることもある。数ヵ月、数年の開発期間を要する大規模プロジェクトの場合、SEが設計し、PGが開発する、といったように役割がはっきり分かれていることが多い。

しかし小規模プロジェクトの場合、PGが予算管理や工程管理などSEの業務を兼ねることがある。SEは管理業務が中心となるため、プログラミングを知る必要はないという風潮が未だ存在しているが、SEこそプログラミングができなければ務まることはないと言える。SEになりたい人はコミュニケーション能力や管理能力に自信があるから、といってプログラミングに触れることを忌避してはいけない。SEとしてのスタートラインに立つためには、必要なプロセスなのだ。

インフラエンジニア

私たちの社会が道路や橋、鉄道などさまざまなもので支えられているように、情報システムやWebサービスなどもさまざまなソフトやハードによって支えられている。その中心にいるのがインフラエンジニア。情報システムを動かすうえで必要となる通信ネットワークやコンピュータなどのハードやソフトを企画書に落とし込み、システム基盤構築の設計書を作成する。

続いて設計書をもとにハードやソフトを選定・発注し、機器の組み立て・取り付け、その後の設定などを行う。最終的に負荷テストなどを行い、情報システムが問題なく稼働しているか確認する。

そして稼働したら、それで終わりではなく、インフラの運用・監視・保守まで関わることも求められる。さらに障害が発生した際は迅速に復旧を行い、それと同時に課題を洗い出し課題解決に向けて動くことになる。

高度情報社会の現在、システムやネットワークが一瞬でも停止すれば、その影響は計り知れないほど大きなものとなる。安定したシステムやネットワークをつくり出すのは、インフラエンジニアをおいてほかにはいない。それだけに、ＡＩ・デジタル業界における存在意義は大きい。昨今はクラウドやデータセンターなどインフラ関連技術の普及がめざましく、需要が高い人材といえる。

プロジェクトマネージャー

プロジェクトマネージャー（以下ＰＭ）は、納期までに成果物を完成させる使命を負う。そしてその使命を果たすために、プロジェクトリーダー（ＰＬ）やＳＥ・ＰＧなどを集めてプロジェクトチームを結成し、必要なソフトやハード、費用などを計画的に確保しながらプロジェクトを遂行していく。

スケジュールどおりにプロジェクトが進めば、それに越したことはない。しかし思惑どおりにいかないことのほうが多いようだ。特に開発期間が短い場合、進捗が遅れれば取り戻すことは難しく、常に進捗を細かくチェックし対策を次々に打っていくことが求められる。

またプロジェクトに関わるメンバーの状況に目を向けることも忘れてはいけない。計画的に実行する気がない、問題ないと言いながら問題だらけ、順調に進んでいるかと思いきや全く進んでいないなど、人に関する問題は思いのほか頻繁に発生しがちだったりする。

近年、システム開発プロジェクトは、高度化・複雑化が進み、スケジュール管理や品質管理がますます困難なものとなっている。クライアントの要望レベルも高まり続けているのが、その背景にある。決して平坦な道を歩めるわけではないが、エンジニアとしてキャリアアップしていくうえで、ＰＭは目指すべき、経験すべきポジションであることは間違いない。

デザイナー／コーダー／ライター／フォトグラファー／ユーチューバー

若い世代が本や新聞を読まなくなったと言われるようになり久しいが、その分ネットでの情報収集力は非常に高い。以前からあるメールやブログに加えて、最近ではＳＮＳが普及したこともありInstagramやツイッター、ＬＩＮＥ、フェイスブックなどで自らの言葉により情報発信できる機会が格段に増え、個人の情報発信力も高まっている。さらにスマホの普及で誰でも写真を撮って加工できるようになり、気軽に披露できる。デジタルカメラやスマホの機能進化で動画撮影も容易になり、撮影した動画はYouTubeで簡単にアップ（公開）できる。ネットやスマホ、クラウドの普及によって一般の人たちが簡単にさまざまな情報を受け取り、自分たちも自由に情報発信できる時代になった。企業や官公庁もＷｅｂサイトやブログ、ＳＮＳで積極的な情報発信を求められている。

主に企業から依頼を受け、Ｗｅｂサイトやブログ、ＳＮＳに掲載する各種コンテンツ（テキストや画像、バナー、写真、動画など）を制作するプロが、クリエイターと総称される人たちだ。画像やイラスト、バナー、レイアウトを制作する「デザイナー」や、ＨＴＭＬというコンピュータ言語を用いてＷｅｂサイトの構築をする「コーダー」、テキスト（文章）やタイトルを執筆する「ライター」、写真の撮影をする「フォトグラファー」などがいる。

かつては就職が難しい人気職種だったクリエイター。しかし昨今ではネットが普及し安価なデザイン・映像・文章制作ツールも普及したことで高品質コンテンツを創りやすくなり、プロとアマチュアの境界線が低くなっている。デザインからライティング、撮影、コーディングまで全部できるマルチクリエーターも増えている。オリジナル動画コンテンツを自ら企画して制作し、YouTubeで配信まで行う「ユーチューバー」は子どもたちの人気職種になっている。

5 運用する人

社内ＳＥ

社内ＳＥとはまさに、社内のＳＥである。企業の情報システム部門に属し、社内業務に必要なＩＴ機器の導入と管理、情報システムの企画から開発、運用まで担当し、携わる仕事の幅は広い。社内ＳＥの代表的な仕事のに1つに、「パソコンが動かなくなった」「パソコンの電源が入らない」「新しい人が入社したからパソコンを用意してほしい」など社内のＩＴ端末にまつわるトラブルや要請に対応するというものがある。

続いては、外部パートナー企業やスタッフの管理だ。社内ＳＥは、社内の情報システム開発に責任を持つ。自ら手を動かして開発する場合もあろうが、多くは開発会社などの外部パートナー企業に業務委託する。社内他部署のメンバーにどのような機能や操作性が必要かをヒアリングし、その過程を経て外部パートナーにシステムの仕様を伝え、開発スケジュールを決めていく。開発がスタートすれば進捗・品質管理を行い、事前に設定した期限までにシステムを完成させていくことになる。

このように業務範囲が広いため活躍の幅が広く、裁量や権限もあることが特長だ。既存システムのリニューアルのほか、ＥＲＰ（統合業務パッケージ）をはじめ営業支援や人事労務に関する新しいシステムの導入を検討し会社全体の効率化をうながすといった役割を担うことになる。

ユーザーサポート

誰もが当たり前のように使っているパソコンや情報システム。実はその裏側で安定稼働を支えているプロフェッショナルがいる。それがユーザーサポート（カスタマーサポート）だ。

仕事内容はわかりやすいが、この職種の重要性や責任は大きい。たとえば、プリンタが故障した場面をイメージしてほしい。出力されない、文字や画像がかすれている、となると必要な資料が印刷できず、業務は一時的に滞ってしまうことになる。小さな企業なら、損害は大きい。つまり、クライアントの業務、ひいては経営まで間接的ではあるが支えることになるのが、この仕事の醍醐味だと言えるだろう。

仕事は主にパソコンやプリンタ、サーバーといったハードウェアと、業務用ソフトウェアの導入・保守の2種類に大別できる。ハードウェアを主に取り扱う企業なら前者に、ソフトウェアが主力製品なら後者の業務を任せられることになるだろう。この仕事の勘所は、IT機器やシステムの運用・保守にまつわる知識や技術の研鑽に加えて、コミュニケーション力を身につけることにある。なぜなら、場合によってはクライアントと顔を合わせることもあるため、ビジネスマナーや立ち居振る舞いも自身のみならず所属する企業の評価や信用に関わってくるためだ。

スピーディにトラブルを解消し、親身に相談に乗ってくれる。クライアントはそんな頼りになるカスタマーサポートエンジニアを求めている。ていねいな話し方、気持ちのよい笑顔など印象のよい人を演出することも実は大切なことだったりする。

システム運用・監視

情報システムやアプリケーションを、SEやPGが「つくる人」であるのに対し、「動かす人」がシステム運用・保守エンジニアとなる。運用・保守対象は、情報システムやアプリケーションのほか、ネットワーク、サーバー、データベースなど多岐にわたる。ITにまつわる広範な知識と技術力は必須となる。

まず運用とは、情報システムやアプリケーションが24時間365日稼働し続けられるように、主に稼働状況を監視したり、ログをチェックしたりすることを言う。基本的にシステムの修理やアップデート、メンテナンスなどには携わらない。それらは保守担当へと引き継がれるのが一般的だ。保守担当は、情報システムやアプリケーションを使いやすくするための改良や、バグやトラブルなどの原因究明や復旧作業に携わることになる。

とはいえ、このように明確な違いはあるものの、企業によってこの境界ははっきりしていないことが多く、運用と保守を兼任している人は数多く存在する。通常は運用に携わり、不測の事態が起これば保守業務に切り替えるというようにだ。そのためどちらかに偏るよりは、両者に精通する道を選んだほうが得策。入社する企業の規模や人員体制にもよるが、現実的に考えるならば、運用も保守も任せられる可能性のほうがずっと高いと考えられるためだ。

ここで大切なことを1つ。運用も保守も、シフト（早番・遅番）やクライアントの業務終了後にメンテナンスを行う関係から夜間勤務のケースもある。日々の健康管理で体力をつけることも必要だ。

インストラクター

インストラクターと聞くと、パソコンやソフトウェア、OSの使い方、プログラミング、Webサイトのつくり方などについて教えるのでは、と思われるかもしれない。むろんこれもインストラクターの仕事には違いないが、ここで紹介するインストラクターは少し異なる。

業務システムやアプリケーション、最新のIT機器を導入しても、それを使うユーザーがうまく扱えなければ宝の持ち腐れとなることは否めない。そうしないためには、ユーザーに使い方をレクチャーする必要があり、その役割を担うのがここで紹介するインストラクターとなる。たとえば、ホテルの予約システムがあったとしよう。それはWebサービスの一種で、パソコンで予約や顧客管理、問い合わせなどに簡単に対応できる優れもの。しかしそれが優れものであるためには、予約システムを使用するホテルスタッフが操作方法を理解している必要がある。マニュアルがあれば問題ないのではと思われがちだが、残念ながら人はそうそう思惑どおりには動いてくれないもの。対面で教育してくれるインストラクターが必要とされることになる。

取り扱う商材に関しては深い理解が求められ、専門的で難しい箇所があれば相手にわかりやすく伝える必要もある。また相手（ユーザー）の理解度を測りながら進めていかなければ、結局扱えなかったという本末転倒な結果になるケースもあるため、思いやりや気づかいも忘れてはならない。人に何か教えることが好き、人前で話すことが苦にならない、どちらかというとコミュニケーションをベースにした仕事に携わりたい、という人におススメの仕事だ。

6

ワークスタイル・給与

──全体に給与水準は高め。比較的安全で快適な職場環境

テレワークやサテライトオフィス、時差出勤、フレックスタイムなどの導入が進む

働く人たちの給与を、業界でひとくくりにして考えるのは難しい。各社によって違う。しかしＡＩ・デジタルなどの最先端テクノロジーに関わる業界は収益性が高く、他業界と比較して給与水準が高い。新しいサービスやビジネスも生まれやすく、新規事業を成功させて大企業へ育成したり、上場を実現させたりすれば、報酬は一気に上がる。夢も描きやすい業界だ。

悪天候の野外で長時間働いたり、肉体的な重労働をしたりすることが少ないのも特長だ。営業職などは外出が多いものの、技術系や事務系、制作系の人たちは冷暖房の効いた室内で仕事をする人が多数を占める。かつては長時間労働でブラックなイメージもあった情報産業も、政府の働き方改革で就労環境が改善されつつある。

コロナ禍においても、真っ先にテレワークを導入して従業員の安全を確保したのがＡＩ・デジタル業界。時間や場所に縛られず行える仕事が多いのも特長で、仕事とプライベートの両立がしやすい。そのため土日祝日をきちんと休める環境が一般的なのも特長だ。サテライトオフィス、時差出勤、フレックスタイムの導入も他業界より進んでいる。ＩＴ系職種は男性の仕事だというイメージもかつては強かったが、手に職をつけて復帰もしやすく、プライベートとの両立が可能なことで女性比率が高まっている。

専門能力もマネジメント能力も併せ持つ次世代人材を目指す

プロジェクトやチーム、組織をマネジメントする仕事や、顧客の決裁者と直接やりとりする営業やコンサルティングに携わる仕事は、会社の利益を大きく左右する。それだけ責任が大きいため、給与水準は高めだ。所属する企業やプロジェクトの内容・規模によって差異はあるものの、30代で年収500万円を上回っているケースは一般的。一方、顧客折衝や企画立案、プロジェクト管理などを行わないプログラマーやデザイナーといった職種は、一般的に給与水準が高くない。ただし、そうした一般論が当てはまらないケースも散見される。非常に高い専門能力で、年収1000万円近くを手にしている人がいる。

世の中に求められている高度な技術やスキル、ノウハウを持っている人を、高い給与を払ってでも採用したい会社はたくさんある。「どの職種は給料が高いか」という議論は、ある意味ナンセンス。どんな仕事であれ、専門性に抜きん出た人材や、専門スキルに合わせて営業力、企画立案スキル、プロジェクトや組織のマネジメントスキルを兼ね備えた人材は給与が高い。

自分の能力と個性を徹底的に引き上げ、他者とは一線を画す抜きん出たスペシャリストを目指すか。またはプロジェクトや組織の管理能力を磨き上げてマネージャーやリーダーを目指すか。それが、給与アップの王道と言える。従来はスペシャリストかマネージャーを目指すか二者択一の考え方が一般的だったが、就労環境の進化によってさまざまな業務をスピーディにこなせるようになり、スペシャリストがマネジメント業務で活躍することも可能になっている。

注目が集まる理数教育。理数科目の学習は「将来への投資」

学生の時は「意味がない」「役に立たない」と軽視していた勉強を、「もっときちんとやっておけばよかった」と後悔する社会人は多い。ビジネスシーンにおいて他人とのコミュニケーションを避けて通ることはできず、間違いなく国語力は必要だ。大量のデータを収集・分析し仕事で正確な判断をするために欠かせない論理的思考や情報処理能力は、算数や数学を通じて身につく。

外国人と話せるという実用性以上に、英語学習で習得できる言語能力や論理力はビジネスで活かせる。基礎科目である国語・数学・英語のほか、人間社会のしくみを教える社会や、自然界のしくみを教える理科は、国数英の基礎3教科とともに学ぶことで、私たちの言語能力や論理的思考をさらに高めてくれる。社会人になると仕事でさまざまな人と関わるため、他人を理解し協働するには5教科の幅広い教養が役に立つ。

昨今「ＳＴＥＭ」というキーワードが注目された。Science、Technology、Engineering、Mathematicsの頭文字を取ったもので、科学技術・工学・数学分野の教育を指す。科学技術・工学・数学に優れた人材は最先端テクノロジーの進化を担うのにふさわしい。国だけでなくＡＩ・デジタル業界が切望していることは言うまでもない。

採用選考で学部学科不問とうたいさまざまな学生の応募を集める企業も、ＳＴＥＭ分野に強い人に注目したいのが本音だ。文系でも理系科目に強いなら、ぜひそのアピールはしたい。たとえ文系出身でもＳＴＥＭ分野への興味を高め、コツコツ学習を続けることが大切だ。理数科目を諦めず、その楽しさや面白さを大切にしながら、継続的に努力して取組むことが将来への大きな投資になる。自らの活躍のフィールドが広がり高収入につながっていく。

給与がよい会社を見極めるためのポイント

大手から中小、ベンチャー企業まで、世の中にはたくさんの会社がある。「大手企業は安定していて高給を得られる」「有望なベンチャー企業なら、ストックオプションなどで一夜にして巨万の富を得られる」そんなステレオタイプのイメージもある。

こういったイメージは、必ずしも間違っているとは言えない。しかし、実情とはだいぶ異なるケースも多い。大手企業やベンチャー企業に入社したからといって、誰もが高給や多額の報酬を得られるわけではない。では、より多くの給与を得たいならどんな会社に入社するのがよいだろう。単に大手企業、有名企業だからということではなく、その会社のビジネスモデルを考えることが大切だ。

顧客から直接お金を受け取り、製品やサービスを提供する元請け企業か。それとも、元請け企業から仕事をもらっている下請け企業か。この点は、1つの大切な見極めポイント。

たとえばシステム開発を考えてみよう。大規模な開発案件を受注した会社は「プライムベンダー（元請け企業）」と呼ばれ、主に依頼企業との折衝、システムの全体企画や概要設計、開発プロジェクトの管理を担当する。システムの詳細設計やプログラミング、テストなどの業務はパートナー企業、いわゆる下請け企業に依頼することが多い。元請け企業1社だけでは、大規模なシステム開発に必要なマンパワーや技術、ノウハウを全てまかないきれないため、多数の下請け企業と協力しながらプロジェクトを進めていく。

なお下請け企業は、元請け企業から受注した仕事をさらに別の会社、いわゆる孫請け企業へ依頼することがある。1次請け、2次請け、そしてさらにその下請けは3次請け、4次請けと続く。7次請け、8次請けもある。これが、よく言われる「多重下請け構造」。プライムベンダーを頂点として、その下請け企業がピラミッド型に連なっているのだ。

この業界のしくみは必ずしも悪いわけではないが、業界内の会社どうしで給与格差が生じている。一般的には元請け企業の給与水準が最も高くなり、下請けになれば給与水準は下がっていく。下請け企業よりも元請け企業に入社するほうが、給与は一般的に高くなる。

ただし、会社の給与はそれだけでは決まらない。他社にない独自の技術やノウハウを持っている会社も、社員の給与水準は一般的に高い。「その会社にしかできない仕事がある」ならそれだけ希少価値が高くなるので、取引先から高いお金を受け取れるからだ。元請けではなく、下請けをしている企業でも、何か卓越した技術やノウハウがあるなら、入社後の給与が高い可能性は十分にある。「その会社は、自分たちで仕事を受注できる元請けか」「何か他社にない強みや特徴を持っていて高い価値を提供している企業か」この点で企業分析するのがおススメだ。

クラウドソーシング、クラウドファンディングの普及で独立・起業も容易に

業界ではフリーランスとして働く人も多い。他人にはないスキルやノウハウがあり、自分で仕事を受注できる人は高収益企業と同じ。自分の価値を高く売れるため利益率が高い。企業勤め以上の高収入が可能だ。最近はクラウドソーシングやクラウドファンディング、SNSの普及もあり、独立・起業しやすくなっている。しかしライバルが増えている、とも言えるので注意も必要だ。

業界平均年収ランキング

業種分類	平均年収（単位：万円）		
	全体	男性	女性
メーカー	453	492	366
金融	448	540	370
総合商社	446	487	376
IT／通信	444	471	386
メディカル	426	510	357
建設／プラント／不動産	418	451	349
インターネット／広告／メディア	407	448	364
専門商社	406	443	343
サービス	369	405	328
小売・外食	353	390	309

（出典）doda

7 福利厚生・休日休暇——規模や知名度だけで選ばず、本当に働きやすいか見極める

本当に「多くもらえる会社」なのか

就職先、転職先を選ぶうえで誰もが注目するポイントといえば給与だろう。求人情報サイトや各企業の採用サイトには月給25万円〜、年俸制４００万円〜といった表記が並んでいる。この金額が高く表示されている会社を選びたくなるが、冷静に考えてみよう。高い設定金額にすれば、企業にとっては求人の応募者が集まりやすい。業界の人材不足が深刻化している昨今、１人でも応募者を増やしたいと高めの設定をしている企業も少なくはない。しかし、応募する側にとって一番大切なことは「入社して実際にいくらもらえるのか」ということだ。

初任給額が高くても、入社後の待遇や福利厚生が充実していなければ、それだけ受け取れる実質的な報酬は少なくなる。また、給与は高くても休日休暇が少なければ、１時間あたりにもらっている金額がそれほど多くならないかもしれない。「待遇条件のよい会社」という観点で就職先、転職先を選ぶなら給与から待遇、福利厚生、休日休暇までを総合して考える必要がある。

ネット上で、「〜業界はブラック」といった情報が絶えることはない。日本人全体の給与や待遇が横ばい、または下がる傾向にあるという昨今、どこの業界でもそういったコメントや意見は数多くあり、根拠のないネガティブな情報には惑わされないほうが賢明だ。

転職サイト「ＤＯＤＡ」が発表した「平均年収ランキング２０１９」によると、システム開発案件の

管理・統括を行う「プロジェクトマネージャー」が全職種中9位にランクイン。4位の「戦略／経営コンサルタント」や、5位の「業務改革コンサルタント」はAI・デジタル系の専門知識やスキルが活かせる職種だ。IT製品の提案を行うプリセールスは11位、ITコンサルタントは15位、データアナリスト・データサイエンティストは31位となっていて、AI・デジタル関連の職種が多数上位に入っている。

留意すべき点が1つある。AI・デジタル業界には新しい会社も多く、待遇や福利厚生、休日休暇などのしくみが十分に整備されていないケースもある。また仮にそういったしくみがあったとしても、十分に情報が公開されていなかったりする。就・転職の際には自分でリサーチしたほうがいい。実際に社員と会って話を聞いたり、ネットで会社非公式の情報を調べたりするのもよいだろう。

業界は近年深刻な人手不足が続いていて、給与や待遇、福利厚生を充実させなければ社員を採用できないという経営側の危機感も高い。また、「モノ」や「カネ」より「ヒト」が価値を生み出す最大の源泉だという認識を持つ経営者が多く、中小・零細企業でも待遇や福利厚生を手厚くしているケースが多い。就・転職活動の際は、志望する会社が社員の働き方についてどう考え、どんな取り組みをしているか調べよう。大手だからよい、中小だからよくないと言えるほど単純ではない。

あなたは今年ではなく、生涯でどれだけ休日を取れるのか

若いときは、「休日返上で仕事に打ち込む」と意気込んでいても、結婚して家庭を持ったりすると家族や親戚のために休日をつくることも大切になる。キャリアアップし、社内や業界でポジションが上がってくると、休日も人と交流したり、本を読んだり学校に通うなどして、自らの人脈と能力を広げなければならない。こういった観点からも、休日休暇のしくみが整った会社を選ぶことの価値は高い。

休日休暇のしくみが整った会社かどうかを見極めるポイントとして、「年間休日数」は重要だ。1つの目安は120日。年間休日が120日を超えてい

る会社は一般的に休みをしっかり取れると考えていい。

ＡＩ・デジタル業界の企業は、顧客と直接対面するサービス業などとは違って、土日祝日が休みになっているケースが一般的だ。大中小かかわらず多くの企業が制度上は年間１２０日以上を達成している。また、プログラマーやデザイナーなど朝・昼・夜の時間帯にしばられずできる仕事が多い。悪く言えば、仕事時間が長くなりがちだ。社員になるべく残業をさせないなど、労務管理をしっかりする会社かどうか見極める必要がある。また「育児休暇」「介護休暇」などの休日・休暇制度があるかにも注目したい。「生涯年収」ならぬ「生涯休日」に大きな差が出るからだ。

8 キャリアアップ・教育研修 ——20代・30代で事業部長や経営者、起業家としての成功も

新たな知識・スキルを磨いて自己成長の喜びを味わい続ける

ＡＩ・デジタル業界で働く魅力の１つは、年齢や社歴にしばられず活躍できるフェアでオープンな風土があること。仕事で成果を出しながら収入やポジションを上げていく、いわゆるキャリアアップを実現しやすい。個人の技術や知識、ノウハウを生かして活躍できる仕事が多いことに加え、シリコンバレーに代表されるアメリカやヨーロッパの価値観に大きく影響を受ける業界だから、働く人たちのワークスタイルは、他業界と比較して欧米的だ。

さらに、新しい知識や技術、ビジネスやサービスも次々に生まれてくる業界のため、経験が浅く若い人でもチャンスを得て活躍できる。そういった業界だからこそ、会社や組織に依存せず、自らのスキルと技術、人脈で活躍の道を切り開いていこうとする自立心の強い人が多い。

実際に、働く人たちの転職や独立・起業もさかんだ。インターネットが普及した１９９０年代よりも前から存在している一部の業界大手企業は別として、いかにも日本らしい終身雇用や就社といった概念が薄い。既得権益を握る年配の人間にしばられず、20代・30代でも大いに活躍できることが魅力だ。古い業界では中堅と呼ばれる40代も、業界なら大ベテランと敬われる会社も多い。

社会的影響力の強い有名企業で経営者を務める人物も、他業界と比較すれば年齢の若い人が多い。たとえば、米・フォーブス誌が発表した日本長者番付で２位に入り、業界に絶大な影響力をもたらすソフ

トバンクの孫正義氏は、大物経営者としてすでに長年経済界に君臨。同ランキング6位で楽天の三木谷浩史氏は、30歳で同社を創業し、現在は55歳（2020年時点）。また、同ランキング23位でアパレルECサイト「ZOZOTOWN」を立ち上げた前澤友作氏は45歳（2020年時点）。40位の藤田晋氏（サイバーエージェント）、49位の山田進太郎氏（メルカリ）も40代だ。

AI・デジタル業界は新しいアイデアや技術を活用した若い人向けのサービスやビジネスが多いため、若手の起業家や経営者が活躍できるとも言える。転職に対するネガティブなイメージも薄く、30代で5社以上経験している人も珍しくない。若いうちから社内の重要ポジションや経営層を目指せたり、転職を重ねてキャリアアップを実現できたり、さらに、独立・起業といった選択肢も大いに可能性があるのは業界の魅力。自らのスキルや経験、実力にできる限り磨きがかかる会社を選び、将来のステップアップに備えたい。

給与や待遇よりも、成長できる環境で会社を選んでみる

就職先や転職先の会社を考える際、入社後の給与や待遇を気にする人が多いのは間違いない。しかし教育研修制度に着目する人はいったいどれだけいるだろうか。教育研修制度は、いわば「目に見えない大きな報酬」。個人の知識や技術が大きな価値を持つAI・デジタル業界において、それらの習得機会を与えてくれる会社の教育研修制度には、就・転職の際ぜひ注目したい。20代のとき教育研修で身につけたスキルが30代での年収アップやポジションアップにつながる。社会人になると、仕事をしながら自主的に勉強するのは体力も財力も必要なこと。会社が進んで用意してくれる教育研修制度は貴重だ。

社会人の教育研修としては大きく分けると「OJT」と「Off‐JT」「自己啓発」の3種類がある。OJTとは、職場で受ける研修。仕事をしながら先輩に教わるのはまさにそれだ。Off‐JTとは、職場以外で受ける研修のこと。勤務時間外に座

3つの研修が充実しているか

OJT

Off-JT

自己啓発支援

長期の研修制度があるか

新入社員研修 → 若手社員研修 → 中堅社員研修 → 管理職研修 → 経営幹部研修

学の講座を受けたり、セミナーや勉強会に参加したりすることを指す。自己啓発とは、他者に頼るのではなく自分で自分の能力を高める努力をすること。一見会社とは関係ないようにも思えるが、社員の自己啓発をサポートするしくみがある会社は多い。よくみられる自己啓発支援としては資格取得の助成制度。資格取得に向けたスクーリング費用を補助してくれたり、受験費用を負担してくれたりする。

教育研修制度は、各社の方針によって充実の度合いに大きな差がある。収益性の高い成長企業や財務基盤が安定した大手企業は、経営余力があるため社員の教育研修にも力を入れている傾向が強い。しかし必ずしもそうとは限らない。中小・零細企業でも教育研修を充実させているケースも多いのだ。

あなたが就職、転職しようとしている会社の教育研修制度が整っているかどうかを見極める1つのポイントとしては、先に述べた「ＯＪＴ」「Ｏｆｆ-ＪＴ」「自己啓発支援」、この3つがバランスよく整っているかどうか。社員の能力を伸ばそうと思えば、「ＯＪＴ」「Ｏｆｆ-ＪＴ」「自己啓発支援」がいずれも必要だ。実際にはＯＪＴしかない会社も多い。またＯＪＴとは便利な言葉で、先輩が何か少しでも教えてくれるなら、それをＯＪＴと呼ぶ会社もある。実際にどんなＯＪＴをやっているか、よく聞いて調べたい。

もう1つの見極めポイントとしては、入社した直後や若いときだけでなく、中堅や幹部社員になっても続く長期の教育研修制度があるかどうか。若手もベテランも、能力を伸ばすにはそれぞれのレベルで教育研修を受けることが大切だ。たとえばヤフーは、新社会人向け研修、全社員向け研修、専門職研修、管理職研修と、あらゆる層の社員に合わせてさまざまな育成・教育カリキュラムを用意している。

Chapter5

AI・デジタル業界の主要・注目企業

Ⅰ 一般常識としても知っておきたい大手企業ラインナップ

AI・デジタル大手企業は社会のインフラの役割を果たす

AIやクラウド、IoTをはじめとするIT技術は電気やガス、水道と同じように、日本人の生活に欠かせないインフラ（基盤）となっている。生活インフラといえば、以前は電話（固定電話）も含まれた。しかし、自宅に固定電話がある家庭は約6割まで減り、代わりにスマホなどのモバイル端末の世帯普及率がすでに95％以上となった。現代の生活インフラは、スマートフォンとインターネットだ。

AI・デジタル系の企業に入社して活躍することは、こういった世の中のインフラを支え発展させることにほかならない。また、IT技術がすでに社会基盤となっている以上、影響力の大きな大手企業を

知っておくと一般常識としても役に立つ。まず、GAFA（ガーファ）と呼ばれる「グーグル」「アップル」「アマゾン」「フェイスブック」。「バイドゥ（百度）」「アリババ（阿里巴巴）」「テンセント（騰訊）」などの中国企業が世界的に影響力がある。

GAFAは世界でサービスを展開して社会に貢献している反面、強大な影響力によって世界の市場を独占し公平な企業間競争を阻害しているという指摘も受けている。

1990年代から急速に事業拡大し世界の情報関連産業で圧倒的な存在感を発揮していたマイクロソフトは、グーグル・アップル・フェイスブック・アマゾンの台頭によって一時期注目度は下がったものの、企業・個人向けソフトやサーバーなどのサービスに底力があり、その他にもゲーム事業が強いこと

や、昨今ではクラウド事業を成長させてきたこともあって再び注目度が高まり、引き続きGAFAと肩を並べる世界的な重要企業として認知されている。

日系企業にもフォーカスしてみよう。特に影響力の大きいIT系大手は「富士通」「NEC」「NTTデータ」「野村総合研究所」「SCSK」「伊藤忠テクノソリューションズ」「日鉄ソリューションズ」などだ。インターネット系に強いのは、「楽天」「ヤフー」「リクルート」「サイバーエージェント」「LINE」など。通信系大手は「NTT」「KDDI」「ソフトバンク」の3社だ。

また、先に紹介したGAFAやマイクロソフト、中国系企業以外にも世界的な影響力を持つ外資大手がある。総合IT企業の「IBM」。ITコンサルティングの「アクセンチュア」。インド系のシステム開発企業「タタ・コンサルタンシー・サービシズ」。フランス系のITコンサルティング「キャップジェミニ」。ネットワーク機器やビデオ会議ツールで知られる「シスコシステムズ」などだ。

情報を制する者が就職や転職を制する

一般的に言う有名企業や主要企業は、「経済界や社会全体に影響力がある」「一般の人からの認知度や人気が高い」といった基準によるラインナップだ。誰もが知る企業や人気のある企業が、自分の働く場所、キャリアを積む場所として最適だとは限らない。

確かに業界の有名企業は、社歴が長く規模も大きな安定企業であることが多く、給与や待遇、福利厚生面は充実している可能性が高い。しかし本当にやりがいのある仕事をし、社会人として充実した人生を過ごすには、それ以外のこともよく考えて会社を選ぶ必要がある。

まず重要なのは仕事内容。どんなに給与や待遇がよくても、自分に適性がなく、興味も持てない仕事を続けるのはつらい。それから、見落としがちなのは社風。どういう仕事をするかと同じくらい、どんな経営者や上司、先輩のもとで働くかによって、入社後の人生が変わってくる。同僚や後輩の存在も重

基礎知識
業界の仕組み
キーワード
仕事とキャリア
主要・注目企業
仕事人
業界に入るには

要だ。「仕事が面白くてやりがいがある」のと同じくらい、「好きな仲間に囲まれて楽しく働ける」のは幸せなこと。各社によって掲げる経営理念や事業戦略は異なり、そこから生まれる社風（コーポレート・カルチャー）や人間関係も違う。

企業は従業員や株主の利益だけではなく、社会の一員として公益を意識すべきだという考え方は年々世界的に広まっており、「世の中に役立つ仕事をしたい」「人に誇れるサービスに関わりたい」と思えば、事業の公共性や社会貢献度にも注目して会社を選ぶ必要がある。教育研修制度も重要だ。自分の能力を伸ばしてくれる会社に入社できたら、5年後、10年後の年収や待遇は大きく向上する可能性が高い。

自分にとっての「重要企業」とは、どのように巡り会えばよいのか。手っ取り早いのは就職サイトや転職サイトを利用すること。多くの人が知っているリクナビやマイナビなどの大手総合サイトを筆頭に、理系学生やITエンジニア志望、コンサルタント志望の学生など特定層にターゲットを絞った専門サイトまで、現在では多くのサイトがある。

また、人事担当者や社員に直接会える就職・転職フェアも盛んだ。興味のある企業で実際に就業体験をするインターン制度も、十数年前は一部外資系企業を除き珍しいものだったが、今では多くの会社が当たり前のように実施している。

まずそういったサービスを利用し、積極的に情報収集することが全ての始まりだ。就職・転職サイトも、できれば1つではなく、2つか3つ併用するのがおススメ。積極的に求人を行っている企業も広告予算の都合上、特定のサイトでしか募集を行っていないケースは多い。自分にとって最適な企業を見逃さないためにも、ネットからリアルまで、できればさまざまな方面から情報を偏りなく集めたいものだ。

就職・転職サイトの功罪に関しては、以前からメディアで語られている。よくある批判としては「企業からのオファーやスカウトが多すぎる」というもの。サイトに登録するといろいろな企業への応募を次々に勧められ、企業からもオファーがどんどん届いたりしてじっくり検討できなくなるという問題だ。

就職や転職は、今後の人生を左右する一大事。冷静に情報を取捨選択しながら主体的に取り組みたい。「よく考えた末、自分は今就職しない」と決意したなら、それも1つの正しい選択肢。世の中が評価する重要企業も、私たちが勧める注目企業も、その価値を最終的に判断できるのは自分自身しかいない。就職・転職する側に有益な情報がほとんどなく、自由な就職や転職が難しかった数十年前とは異なり、現在ではネットに豊富な情報があり、選択肢は圧倒的に増えた。

だからこそ、情報を制する者が就職や転職を制するという新たな厳しさも生まれている。就職や転職を行う際、業界研究や企業研究を行う意義はよく語られるが、それはまさに情報の収集と選択が大事だからだ。

2

ジャパニアス

AI事業とAI人材育成に徹底注力する先端技術開発の支援企業。JDLA加盟

あらゆる技術領域で国内のテクノロジー開発を支援。創業テーマは「第二製造業」

「先端テクノロジーで日本の明日に新たな価値を提供する」という理念を掲げるジャパニアスは、設立以来飛躍的な成長を続けるAI・デジタル業界の企業。現在は特にAI事業に尽力する注目の1社だ。横浜市西区のみなとみらい（ランドマークタワー18F）に本社を置き、東京支社・神奈川支社・東北支社・大阪支社をはじめ全国合計16拠点で事業を展開している。

設立は1999年。国内では当時「IT革命」なる流行語が生まれ、ヤフーや楽天をはじめとするIT系ベンチャー企業が勃興し、業界の活況は「ITバブル」とも呼ばれていた。世の中ではパソコンやインターネット、携帯電話が急速に普及しはじめた時期でもある。

ジャパニアスはまさにこのような時期に創業し、次々に生まれる新たなテクノロジーに対応して社会貢献する「第二製造業」を提唱した。「第二製造業」とは、創業者で現在は会長を務める西川三郎氏が考案した言葉。工場を持つ製造業を第一とすれば、第二製造業は工場を持たずして機械設計から電気電子設計、ソフトウェア、インフラまで様々な技術領域の先端テクノロジー支援をし、ものづくりに貢献する業態を目指すとした。

創業当初は6名という少人数で事業を開始し、機械・電気電子設計分野で実績を急拡大。国内大手メーカーをはじめとする多数の顧客企業から信頼を得る。

基礎知識
業界の仕組み
キーワード
仕事とキャリア
主要・注目企業
仕事人
業界に入るには

２００８年にリーマンショックが発生して製造業の業績が悪化したことをきっかけに、事業基盤のさらなる安定化を目指してソフトウェア開発・インフラ構築などＩＴ分野にも注力しはじめる。その後ＩＴ業界の世界的な躍進に伴って２０１０年代に業績を一層伸ばし、現在ではＩＴ系売上が約７割、機械・電気電子設計系の売上が約３割という比率だ。

メーカーからＩＴまで、現在ではテクノロジー業界を幅広く網羅する技術支援の大企業となり、２０１９年時点で社員は１２００名に到達。時代が求める新たなテクノロジーのニーズを捉え、設立20年間で２００倍にまで組織拡大した成長企業だ。同社における経営上の強みとして特筆すべきは、設立以来の無借金経営。「利益を出して納税する」という理念を掲げ、借金を抱えることなく毎年黒字を実現しつつ、事業拡大も実現している優良経営だと言える。

今後最大の注力分野は「AI事業」

ジャパニアスにおける現在の最大テーマは「ＡＩ」。２０１９年にＡＩ事業を本格的に立上げ、大手メーカーをはじめとする顧客企業へのＡＩコンサルティングやＡＩシステム開発を提供している。ＡＩ人材の育成と採用にも徹底注力。同社のＡＩ研究開発拠点である品川開発センターにはすでに約20名のＡＩエンジニアが在籍している。この人数を５年間で１００名にまで増員予定。また、国内ＡＩ業界の有力団体「日本ディープラーニング協会（ＪＤＬＡ）」に加盟し、ＡＩ業界の発展を支える１社として存在感と貢献度を今後着実に拡大することとなろう。

同社がＡＩ事業に尽力する理由は、今後急拡大するＡＩニーズが背景にある。ＡＩ関連市場規模は、２０２０年度の約１兆円から、10年後の30年には２倍の約２兆円になるという予測がある。世界的には80兆円を超す大市場となり、ＡＩやＩｏＴを含むＩＴ関連技術がＧＤＰを１３０兆円以上も押し上げる効果を持つという試算もある。すでに同社には大手メーカーをはじめとする顧客企業からＡＩに関するさまざまな依頼や相談を受け、マーケット拡大を確かに実感しているという。

品川開発センターを拠点として AI人材を集結

ＡＩニーズの拡大とともに業界全体では深刻な人材不足も懸念されていて、２０３０年にはＩＴ系の先端技術に対応できるエンジニアが50万人以上不足するというデータもある。ジャパニアスではこうした将来に一石を投じるため、品川開発センターを拠点としてＡＩ人材の教育研修に注力。「ＡＩ＋ソフトウェア」「ＡＩ＋クラウド」「ＡＩ＋機械設計」「ＡＩ＋電気電子設計」などＡＩに精通した各技術分野の近未来型人材「ハイブリッドＡＩエンジニア」の育成をテーマとしている。

ビジネス界全体でＤＸ（デジタルトランスフォーメーション：デジタルやＡＩ関連の技術を駆使して事業や業務の改革を実現すること）の重要性が一層強く認識される昨今、ＡＩ活用を推進したいと考える企業はますます増えており、すでに実用化へ動き出すところも多い。

最新技術を単に研究開発するのみならず、ビジネスの場で実際にどう活かし、業務改善や事業改革といった具体的な成果につなげていくか重視していることがジャパニアスの特長。顧客企業が抱える経営・業務課題のヒアリングからコンサルティング、実際のシステム開発・運用まで一気通貫でのサービス提供ができる体制を今後さらに強化していく。同社の顧客企業はメーカー、医療、金融まで幅広い。単にＡＩ技術を追究するだけでなく、研究の知見や成果を活かして社会のさまざまな問題を解決したいという方にはぜひ注目してほしい1社だ。

3

日本コントロールシステム（NCS）

「エンジニアとして輝ける会社」という理念は今も変わらず

４Ｋ・８Ｋ対応の放送映像機器開発でも注目を浴びる先進テクノロジー企業

「エンジニアがエンジニアとして活き活きと輝き続ける会社を自分たちで創ろう」日本コントロールシステムは、東証一部上場企業傘下のあるシステム開発会社に勤めていた35名のエンジニアが、そんなビジョンを掲げて１９８１年に誕生した会社だ。設立時の資金は、何とエンジニアたちの共同出資。「自分たちが本当にやりたい仕事を実現できる環境を創りたい」という設立メンバーたちの思いは本物だった。

エンジニアの技術力を強みにしたエンジニア主体の会社ということもあり、同社が保有する技術や製品、担当しているプロジェクトは独自性が高く、他社にない「オンリーワン」と呼ぶにふさわしいものが多い。たとえばキーボード配列検査装置（ＫＩＳ）や各種検査装置、高速画像処理装置など、同社製の産業分野向け検査装置は国内外のさまざまなメーカーに利用されている。

また緊急通報システムプロジェクトや高速道路監視プロジェクト、海底ケーブル監視プロジェクトをはじめ、同社は大規模な社会インフラ構築プロジェクトにも多数参画している。他社が模倣できないオリジナル技術と研究開発力を駆使して、さまざまなモノづくりに貢献しているほか、世の中のインフラづくりも担っているのだ。

世界中の半導体メーカーが同社のプロダクト「PATACON」を採用

このとおりすでにさまざまな実績を持つ同社だが、代表的な成果として見逃すことができないのが「PATACON（パタコン）」だ。このPATACONは、半導体設計において膨大な時間と労力がかかる「マスクデータ」の変換処理を超高速に行えるようにしたシステム。販売開始した1992年には、半導体業界の常識を覆す画期的なソリューションとして迎え入れられた。そしてすでに現在では、半導体設計を高速で行うために欠かせない重要なシステムとなっていて、世界中の半導体メーカーがPATACONを採用している。

同社が昨今開発した新製品として特に注目したいのは、4K・8K放送に対応した放送映像機器だ。4K・8Kとは、現行のハイビジョン（2K）を超える超精細画質により、立体感と臨場感に優れた映像を楽しめる次世代放送のこと。2020年までの普及を目標に5、6年ほど前から総務省が普及推進を行ってきたが、同社はそれに先駆けて放送業界に向けて提供を開始した。日本における今後の放送業務や映像機器開発、映像関連の研究開発を担う一社としても日本コントロールシステムは期待を集めているのだ。

設立当初のビジョンは40年ほど経った今も変わることなく、「エンジニアがエンジニアとして輝ける」社風。エンジニアの活躍を萎縮させるさまざまな要素を排除し、全員が最高のパフォーマンスを出すための社内制度を敷く。社員というより個人事業主に近い意識のもと、服装も仕事の進め方も、ひいてはボーナスの分配までも、自分たちで決めるという自由度の高い会社だ。

新卒採用における重要ポイント

同社は基本的に中途採用を行わず、新卒採用のみだ。会社説明会のあとは一次選考の筆記試験となる。ソフトウェア開発能力の適性試験、テーマを決めての作文、英文和訳が課される。この3つを通過したあとは面接だ。作文では何をどう考え、それをどのように表現するかといった、本人の価値観と基礎学力を知るために行われる。

面接は「何を材料にして物事をどう判断し、それをいかに行動に表してきたかを探るのが狙いです」とのこと。学部や専攻に関して、かつては理系を重視していた。しかし近年では理系文系に関係なく採用している。最終的には本人の伸びしろ、協調性や柔軟性、人としての魅力などを重視しているという。

年功序列でも実力主義でもなく「個人尊重主義」

もともと大企業のデメリットをなくすため発足したエンジニア主体の会社だ。社員が仕事への意欲を失わず質の高い成果を出せるよう、あらゆる面から社内制度・職場環境の整備を行っている。

特筆すべきことは4つあり、まず完全なフレックス制の導入をしていて、いわゆるコアタイムがないこと。2つ目は本人の希望しない転勤辞令がなく、逆に本人からの希望があれば、その希望に沿えるよう可能な限り配慮すること。3つ目は、常識の範囲内で服装は自由なこと。実際にジーンズ・スニーカー派が多い。最後は、ボーナスが所属部署ごとに山分けであること。入社歴ではなく貢献度に応じて分配が決まる。その原案をつくるのは部署長だが、決定前に必ずメンバー全員が目を通し合意をとる。不満があれば増額を申告することも可能だ。

基礎知識
業界の仕組み
キーワード
仕事とキャリア
主要・注目企業
仕事人
業界に入るには

4

富士通

売上高順位で国内30位圏内。経済界を代表する1社

売上高4兆円
半世紀にわたり社会のＩＴニーズに応える

富士通は、東京都港区東新橋（汐留）に本社を置く東証一部上場企業。売上高は4兆円弱で日本企業の売上高順位で上位30位圏内に入り、国内の経済界を代表する1社だ。なお、同じく売上高上位のＩＴ系企業として10位圏内には「ＮＴＴ」「日立製作所」、20位圏内に「ソフトバンクグループ」「ソニー」「パナソニック」、30位圏内に「ＫＤＤＩ」、50位圏内に「キヤノン」「日本電気」などがある。１００位圏内では「リクルート」「ＮＴＴデータ」なども入る。

今から約１００年前の１９２３年、古河電気工業とドイツの電機メーカー「シーメンス」が発電機・電動機を日本で国産する会社として「富士電機製造」（現・富士電機株式会社）が誕生。12年後の１９３５年に通信機製造部門が独立する形で「富士通信機製造」を設立し同社の礎ができる。１９６５年には資本的に独立し、１９６７年には商号を「富士通」に変更。70年代・80年代における日本企業への情報システム普及、90年代のインターネット普及、２０００年代のスマートフォン普及、２０１０年代のクラウド普及と、その後約50年にわたる社会のＩＴニーズに応える形で事業の拡大・多角化を推進して現在に至る。

日立製作所やソニー、パナソニック、三菱電機、キヤノン、日本電気、東芝、シャープなどとともに、さまざまな製品・サービスを展開する総合大手メーカーとして一般にも広く認知されている。そのなかでも富士通は、日本電気とともに大規模情報システ

ムやサーバー・ネットワーク製品の開発など、法人（企業）向けＩＴ製品・サービスに関する売上比率が高いという特長がある。その他にパソコンやスマートフォンなど個人向け製品の開発も行っている。

日本だけでなく、全世界にグループ会社や工場、研究開発拠点を持つグローバル企業。アメリカやアジアよりＥＭＥＩＡ（欧州・中近東・インド・アフリカ）での売上が大きく、欧州市場に強いことも特長の１つだ。

現在の同社が掲げる事業テーマは「デジタル技術を活用した共創活動」。ＡＩやクラウド、ＩｏＴの技術領域に注力し、これらの最新テクノロジーを組み合わせながら、さまざまな業種の顧客企業・ビジネスパートナーと協力し、今後の社会が必要な新しいサービスを共創していく。ＡＩやクラウド、ＩｏＴなどＩＴ関連の最先端技術を活用し、これからの世の中の重要な課題解決ができる大きなビジネスに関わりたいなら、入社後にそれが実現可能な1社だと言える。

人気企業ランキング〈機械・電気・電子・精密機器・医療用機器〉（1～10位）

① ソニー
② パナソニック
③ 日立製作所
④ 富士通
⑤ キーエンス
⑥ 三菱電機
⑦ 三菱重工業
⑧ 川崎重工業
⑨ 村田製作所
⑩ クボタ

（出典）キャリタス就活 2021

5

NTTデータ

日本社会のITの活用に長年貢献。業界のリーディングカンパニー

あらゆる分野でITシステム需要を掘り起こし、最先端のシステム開発を数多く実現

NTTデータは東京都江東区豊洲に本社を置き、東証一部に上場しているNTTグループの主要企業。日本社会におけるITの活用に長年貢献し業界を牽引し続けるリーディングカンパニーだ。国内の情報産業を同社なしに語ることはできず、社会的影響力が大きな1社。NTTグループという知名度と安定感もあり、就職活動中の学生や転職希望の社会人からは高い人気を誇る。

同社の歴史は、1960年代にスタート。1966年、NTTグループの前身である「日本電信電話公社」がデータ通信サービス展開の認可を受け、翌年の1967年に「データ通信本部」を設置する。当時すでに電信や電話といった通信サービスは存在していたものの、現在私たちがインターネットやパソコン、スマホなどで利用している「データ通信」は普及しているはずもない。データ通信を当たり前に利用できる今の時代をつくりあげた、その1社がNTTデータだ。

1968年、全国地方銀行協会の為替交換システム「地銀協システム」を開始したのを皮切りに、同社はその後、日本の社会インフラとなる重要なITシステムを次々に開発して稼働させる。たとえば、1973年には全国銀行データ通信システム「全銀システム」を開始。1978年には航空路レーダ情報処理システム「RDPシステム」や、航空貨物通関情報処理システム「NACCS」、1981年には金融機関窓口の自動応答システム「ANSER」

を開始する。1984年には、日本におけるクレジットカードサービスの重要な提供基盤となった共同ネットワークシステム「CAFIS」を開始する。

1985年に日本電信電話株式会社が発足し、3年後の1988年にはそのデータ通信本部が母体となって「NTTデータ通信」が誕生する。この年が同社にとっての新たなスタートとなった。

その後、公共・金融・産業と日本社会のあらゆる分野でITシステム需要を掘り起こし、最先端のシステム開発を数多く実現させる。今では決して珍しくない「ICカード」などの新技術を日本に先駆けて導入したほか、1990年代後半以降のネット普及や、2000年前後のITブームなど、日本のIT・ネット業界が飛躍的に発展する礎を築く。

世界を代表するIT企業を目指し事業を積極展開

1996年には東証一部上場、1998年には現在のNTTデータに社名を変更する。2000年代からは国内企業との連携や海外進出を強め、2007年には連結売上高1兆円達成。2012年にはコーポレートロゴデザインも一新し、「GLOBAL IT Innovator」をテーマに掲げて、世界を代表するIT企業を目指し事業の積極展開を進めている。

NTTと聞くと、就職・転職活動に忙しい若い人たちの親世代、50代・60代の人たちには「電話・電報の会社」というイメージが強いだろう。以前の正式名称「日本電信電話公社」からわかるとおり、もとは国の全額出資により運営されていた電信電話事業の会社だ。2007年、郵便事業を行う日本郵政公社が民営化され、新たに「日本郵政株式会社」が誕生した。まさにこれと同じように、約30年前の1985年、日本電信電話公社は民営・分社化され、現在のNTTグループが生まれた。NTTグループの会社が就職人気ランキング上位に必ず登場するのは、親世代への受けがいいという理由も多分にある。

6

日本ユニシス

社会をつなぎ、困難な課題解決を目指す。ビジネスエコシステム創出企業

AIやIoT、クラウドなど最先端ITを駆使し経営革新を支援する

日本ユニシスは東京都江東区豊洲に本社を置く東証一部上場企業。1958年にアメリカのグローバルIT企業「米国ユニシス」の関連会社として設立し（現在は資本関係なし）、大企業・官公庁向けの情報システム開発・運用支援事業を開始する。

特に金融機関向けの情報システム開発で多大な成果を残し、1960年代に急速な事業拡大を実現する。国内に先駆けて東京証券取引所へ商用大型コンピュータを導入したり、日本初のオンラインバンキング処理を成功させたのも同社だ。

1971年には東証一部上場。日本経済が成熟期に入った70年代以降も国内屈指の高い技術力とコンサルティング力、IT分野のトータルなサービス力を駆使して一層の事業拡大を実現させる。1980年代にはIT業界を代表する1社としてすでに社会的信頼を獲得。大手金融機関をはじめ、製造・流通・小売・通信・医療・教育・福祉などさまざまな業種のシステム開発・運用支援を手がける。1990年代のインターネット、2000年代のスマートデバイス、2010年代のクラウドなど時代の新たなITニーズに即応しながら事業成長を続けて現在に至る。

大手企業から成長・ベンチャー企業、官公庁・地方自治体まで、同社はあらゆる顧客に対して、経営課題の分析から解決に至るまでの諸問題をITで解決するという高付加価値のサービスを提供している。大規模システム開発・運用会社を指す従来の「シス

テムインテグレーター（ＳＩｅｒ）」という事業形態からすでに進化を遂げ、ＡＩやＩｏＴ、クラウドをはじめとする最先端ＩＴを駆使した経営革新を支援するサービスを展開中だ。全国で５０００社を超える企業と長年にわたり培ってきた強いパートナーシップを活かして新規ビジネスの共同創出にも尽力。あらゆるビジネスをＩＴでつなぎ合わせ、現在の日本が抱える困難な社会課題を解決するという経営ビジョンを掲げ、１社のみの利益にとらわれることなく、高い視座で事業に取り組む。組織の垣根を超えてあらゆる企業・団体が共栄する社会のしくみ「ビジネスエコシステム」を実現するうえで、同社は今後重要な役目を果たすだろう。

社会の複雑化や多様化、グローバル化が一層加速する昨今、世の中が抱える大きな問題を1社のみで解決するのはますます困難になっている。ＩＴの力で世の中全体をつなぎ合わせ、困難な社会課題の解決や、新事業・新サービスの創出に取り組みたいと考えている人にとって、日本ユニシスはまさにそんなチャンスに恵まれたフィールド。「ビジネスエコシステム」の中核を担うポテンシャルを秘めた企業だ。

人気企業ランキング〈通信・情報サービス〉（1～10位）

①楽天	⑥NTT 東日本
②野村総合研究所	⑦SCSK
③NTT データ	⑧ソフトバンクグループ
④Sky	⑨バンダイナムコエンターテインメント
⑤NTT ドコモ	⑩グーグル

（出典）キャリタス就活 2021

7

電通国際情報サービス（ＩＳＩＤ）

次世代のＩＴソリューションを実現し業界をリードするユニークなＩＴ専門家集団

イノベーティブなＩＴサービスを提供し、80年代にはグローバル企業へ

電通国際情報サービス（ＩＳＩＤ）は、ＩＴ業界を代表するシステムインテグレーター。単独の広告会社として世界一の売上高を誇る電通のグループ会社でもある。

そのためか、親会社の情報システム部門に端を発する「ユーザー系」に分類されることも多いのだが、同社の沿革を紐解くと、興味深い設立経緯が見えてくる。ＩＳＩＤは１９７５年、米国屈指の優良企業General Electric Company（ＧＥ）と、電通との合弁で設立された。ＧＥの巨大なコンピュータセンターを国際ネットワーク経由で日本企業に利用してもらうという、現在のクラウドサービスやデータセンターにも類似した革新的なＩＴサービス「ＴＳＳ（タイムシェアリング・サービス：コンピュータの法人向け共同利用サービス）」を提供するために誕生した、いわゆるジョイント・ベンチャーだったのだ。

ＩＳＩＤが国内でいち早く展開したこの先進的なＩＴサービスは、製造業・金融業大手をはじめ数多くの企業に注目され、程なく日本で最大のシェアを獲得する。また、１９８６年には欧州に進出する日本企業を支援するため、ＩＴ業界の先陣を切ってロンドン支店を開設。その後も積極的に海外展開を進め、現在では8カ国に13拠点を有している。このようにＩＳＩＤは、ビジネスのＩＴ化が世界で加速し始めた70年代からイノベーティブなＩＴサービスを日本国内に提供しつつ、80年代にはすでにグローバ

ル企業としても歩みを進めていた。

「電通グループ協業による総合力」の強み。グループに収益を依存しない独立系企業

現在のＩＳＩＤは、ＩＴとマーケティング双方に強みを持つ電通グループのシステムインテグレーターとして、業界ではすでに確固たる地位を確立している。しかしながら、親会社である電通向けビジネスの売上は約２割と、実はさほど多くない。金融業・製造業大手をはじめ、電通グループ以外の取引先からの売上が約８割を占める。つまり同社は、他にはない「電通グループ協業による総合力」という独自の強みを持ちつつも、グループに収益を依存しない独立系企業として成り立っている。

社風として根付くベンチャースピリットと、先端テクノロジーにアイデアをかけ合わせて生み出されるＩＴサービスはまさに同社の〝お家芸〟。企業や自治体とコラボレーションしながら「漁業×ＡＩ」や「農業×ブロックチェーン」、「スポーツ×ＩｏＴセンサー」などの実証実験プロジェクトを通じて、既成の枠にとらわれないテクノロジーの活用を推進している。

また、日本から金融ビジネスにイノベーションをもたらすことを目指して、フィンテック関連のＩＴベンチャー支援にも早くから取り組み、新たな金融サービス創出に一役買っている。さらに、自動車をはじめとする製造業大手各社との厚い信頼関係のもと、ＩｏＴ技術を駆使したスマートファクトリーの実現などモノづくり革新にも貢献する。

8

アクセンチュア

世界中の企業・政府機関にコンサルティングサービスを提供

世界のさまざまな主要企業・団体のIT活用を推進

アクセンチュアは日本で1989年に創業し、国内に現在約1万名規模の従業員が在籍するコンサルティング会社。世界で事業展開をしているグローバル企業だ。さまざまな企業・団体に経営戦略や業務改善などのコンサルティングサービスを提供していて、なかでもITコンサルティングに強いことはよく知られている。

グローバルグループとしてのアクセンチュアは、1953年に創業。電気機器製造や航空宇宙産業、軍需産業などで知られる世界企業「ゼネラル・エレクトリック」に対し、コンピュータをビジネスに初めて導入したことによってコンサルティング業務を開始したとされる。

その後もアクセンチュアは、時代とともに世界のさまざまな主要企業・団体のIT活用を推進してきた。クライアント各社の業務改善や業績拡大はもちろん、ひいては経済界や社会全体の発展にも寄与してきたグローバル企業だ。コンサルティングファームの存在意義を世の中が認めるようになったのは、同社の活躍によるところが大きい、といっても過言ではない。

コンサルティング会社として広く知られる同社だが、ITサービス企業としての側面も強い。ITコンサルティングからシステムの設計・開発、運用までを総合的に手がけ、企業や団体のIT部門を請け負うアウトソーシングサービスに力を入れている。

ITサービスの世界企業といえばIBMグループが

よく知られているが、アクセンチュアも同社に近いビジネスモデルを展開している。

就職・転職企業ランキングでは毎年上位の常連

会社としての社会貢献度の高さや、コンサルタントという人気職種に携われること、20代・30代で高報酬を得られる外資系企業であること、勤務先としての安定性が高い大手コンサルティングファームであるといったポイントが注目され、大学生や社会人の人気就職・転職企業ランキングでは2000年以降、毎年上位の常連となっている。有力企業の代表取締役や役員、ベンチャー企業の経営者、ビジネススクール教授など、ビジネス界にはアクセンチュア出身者も多く、人材輩出企業だと言える。

人の病状を診断して病名を特定し、その治療を行う。そんな医者の仕事に、コンサルティングは似ているとよく言われる。コンサルタントは「企業の医者」だとたとえられることも多い。非効率な業務や、業績の不振など、企業の〝病気〟を治すのがコンサルタントの仕事。しかし、単に病気の治療法を患者に示して終わりではない。

業務効率化や売上拡大、新規事業の成功など、企業が一層成長するための道筋を示し、目標実現に向けた継続支援を行う。このような高次元の価値提供に対して支払われる報酬は高く、アクセンチュアをはじめとする大手コンサルティング会社の社員年収は、全業種のなかでも群を抜いて高い。

世界には数多くのコンサルティング会社がある。各社の特徴・強みはそれぞれ違う。どの領域・テーマが得意かによって、コンサルティング会社は大きく5つに分類される。こちらで紹介したアクセンチュアは、ITをはじめとしてさまざまな領域のコンサルティングに強く、「総合系」または「IT系」に分類されることが多い。デロイトトーマツコンサルテイングも総合系だ。その他、マッキンゼー・アンド・カンパニーなどの「戦略系」や、マーサージャパンなどの「組織人事系」、野村総合研究所などの「総研系」、フューチャーアーキテクトなどの「IT系」がある。

9 楽天 創業事業のECだけでなく金融サービスでも稼ぐ

日本人のネットショッピングを支える、欠かせない存在

経済界を代表する大手企業であり、ネット系ベンチャーの成功例としても知られる楽天株式会社。1997年に設立され、現在は東証一部上場企業。東京都世田谷区玉川（二子玉川）に本社を置いているが、以前はIT・ネット系の有力企業がオフィスを構え、「ヒルズ族」の呼び名でも注目された東京都港区の「六本木ヒルズ森タワー」に本社を置いていた。

創業者である三木谷浩史氏が現在も代表取締役会長兼社長を務め、日本で昨今大きな成功を収めた起業家として海外でも有名だ。設立約20年で巨大企業に成長させた経営者としての手腕が高い評価を受け、さまざまなメディアで注目を浴びる。

楽天が展開するビジネスとして、一般的にはECサイト「楽天市場」の運営が有名。現在国内において、総合ECサイトといえば「楽天」「アマゾン」「ヤフー」の3強だ。日本人のネットショッピングを支える企業として、欠かせない存在となっている。ECサイト運営は同社の創業ビジネスであり、今でも収益基盤であることに変わりはない。しかし現在、EC事業の売上は一部でしかなく、実にさまざまなビジネスを展開していてグループ会社も多数ある。

楽天の事業として、現在見逃せないのがモバイルサービスだ。日本国内では携帯電話サービスが長く「NTT」「KDDI」「ソフトバンクグループ」3社に集中しているが、そこに風穴を開けるべく立ち上がったのが楽天モバイルだ。また、楽天銀行や

楽天証券、楽天カードや、電子マネーの楽天Ｅｄｙなど金融事業も多数展開。金融関連サービスが、今では楽天グループの売上の大部分を占めている。

楽天の創業ビジネスであり、今もなお同社の重要な収益基盤となっている「ＥＣ」。あえて説明は不要かもしれないが、ＥＣとはElectronic Commerce（電子商取引）の略。インターネットで商品やサービスを売買することだ。現在、日本には多数のＥＣサイトがあり、ＥＣサイトの運営会社もたくさんある。しかし、楽天にヤフーとアマゾンを加えた「ＥＣ３強」が、日本の消費者には圧倒的な存在感を誇っている。

ある企業がインターネットで商品やサービスを販売しようとする場合、楽天などの有名なＥＣサイトに出店するというのが一般的なやり方だ。しかし、高い出店手数料や、他社商品との競合を避けるため、自社でＥＣサイトを運営する企業も多い。

インターネット業界売上高ランキング（2019-2020年）

	企業名	売上高（億円）
1	楽天	12,639
2	リクルートHD	11,808
3	Zホールディングス	10,529
4	GMOインターネット	1,961
5	エムスリー	1,309
6	ZOZO	1,255
7	ディー・エヌ・エー	1,213
8	ガンホー・オンラインエンターテイメント	1,013
9	メディアドゥHD	658
10	カカクコム	609

（出典）業界動向SEARCH.COM

10

ヤフー
日本にインターネットサービスを普及させた先駆け的存在

設立わずか十数年で、日本の経済界を代表する有力企業に

日本のネット業界の発展は、先の楽天とヤフーを抜きにしては語れない。インターネットの情報検索ポータルサイトとして、日本人が最もよく利用すると言われる「Yahoo! JAPAN」を運営する企業。国内にインターネット関連のさまざまなサービスを普及・浸透させた新興企業の先駆け的存在。ソフトバンクグループ傘下でもある。

同社が設立されたのは、日本でインターネットの爆発的な普及が始まる直前の1996年。同年4月、現在も続くポータルサイト「Yahoo! JAPAN」がサービスを開始した。

1997年には、新興ネットベンチャー企業の先駆けとして現在のジャスダック市場に上場。ITバブルという言葉が流行語にもなった2000年には、同社の株価が一時（2月）1億円を突破し、日本株史上最高記録を更新した。この株価更新のニュースは世の中で大きく取り上げられ、ヤフー自身はもちろん、当時すでに注目を浴びていたネット業界がいっそうもてはやされる1つのきっかけとなった。

業界に激震が走ったITバブル崩壊後も順調に事業拡大し、2003年には東証一部に上場。2005年には年間売上高が1000億円を突破し、同社の株価が日経平均株価に採用された。さらにその7年後、2012年には経団連の入会企業となる。設立からわずか十数年で、日本の経済界を代表する有力企業となった。

同社最大の収益源は、国内最大のポータルサイ

トである「Yahoo! JAPAN」。同サイトに広告掲載を行う企業から広告収入を得る「マーケティングソリューション事業」とECモール運営の「コンシューマ事業」で莫大な利益を生み出す。同じくネット業界の代表企業とはいえ、実際には金融サービスで収益の大半を稼ぎ出している楽天とはビジネスのしくみがかなり異なっている。

採用活動や、ダイバーシティ推進でも先駆

高い収益力に裏付けられた経営余力あってこそだと言えるが、社員に対する高待遇、働きやすい環境なども特長だ。2016年9月には全ての従業員を対象にして、週休3日制を数年内に実現していくという意向を明らかにして注目を浴びた。実際の導入は難航したが、休日休暇制度の充実に向けた取り組みは続いているようだ。

また同社は2016年10月、日本の経済界に根強く残る新卒一括の採用活動を廃止し、新卒や既卒、第二新卒など経歴にかかわらず30歳以下を対象とした「ポテンシャル採用」を開始すると宣言。さらに、多様な人材を活躍させて業績伸長させることを目的に、ダイバーシティ推進も実行中。女性社員の管理職登用をはじめ、同性パートナーに配偶者と同等の福利厚生を適用するなどのLGBT支援、障がい者採用などに注力し業界他社に影響を与えている。

日本の情報通信業界に大きな影響力を持つ1社といえばソフトバンクグループ。ヤフーはソフトバンクグループ傘下の会社だ。グループのなかでは、やはり携帯電話事業のソフトバンクが最も有名。NTTドコモやKDDI（au）とともに日本を代表する移動体通信事業者（3大キャリア）として知られる。

ソフトバンクグループはヤフー以外にもさまざまな会社を持ち、移動体通信以外の事業も多角展開。ヤフーは、グループを代表する有力会社の1つ。その他にも一休（宿泊予約サイト運営）やアイティメディア（IT系ニュースサイト運営）、ジャパンネット銀行、ZOZO（アパレルECサイト運営）などがある。

11

グーグル

法人向けクラウドサービスなど新たな収益基盤を構築

「Gメール」、「You Tube」など誰もがサービスを利用

グーグルはアメリカに本社を置く多国籍企業。日本法人は東京都港区の六本木ヒルズにある。共同創業者であるラリー・ペイジとサーゲイ・ブリンは有名。１９９５年、２人は当時在籍していたスタンフォード大学で出会う。そして意気投合し、１９９６年にはインターネットの検索エンジンを開発。当時すでにさまざまな検索エンジンが存在していたが、被リンクの数によってＷｅｂページの重要性を判断するなどの特長が斬新だった。２年後の１９９８年に創業、２００４年に株式公開。その後今日までの急成長は世界中が知るとおりだ。「世界中の情報を整理し、世界中の人々がアクセスできて使えるようにすること」をミッションとして掲げ、現在に至るまでインターネット上の情報検索サービスを提供している。ちなみに社名のグーグル（Google）は巨大データという意味の「googol」のスペルミスから来ているという。

グーグルといえば、まず思い浮かぶのが便利なインターネット上のサービスの数々。Ｗｅｂ検索エンジンはもちろん、その他にもＷｅｂブラウザの「グーグルクローム」やメールの「Ｇメール」、オンラインストレージの「グーグルドライブ」、スケジュール管理ツールの「カレンダー」、地図の「グーグルマップ」、動画視聴の「You Tube」など挙げるときりがない。インターネットを使っている人なら、「グーグルのサービスを利用したことがない」という人のほうが少ないのではないだろうか。

このように多彩なサービスを展開するグーグルだが、会社の売上は大半が広告収入。同社がインターネット上で展開する「アドワーズ」や「アドセンス」といった広告サービスを使う企業からの利用料金で世界中から莫大な収益を稼いでいる。グーグルが多数の便利なサービスを無料提供しているのは、それによってユーザーを長時間ひきつけ、グーグル広告を見る人を増やすためだとも言える。

自動車やロボットなどで新たな収益基盤を模索

世界シェアトップのインターネット検索サービスを運営し、Ｗｅｂ業界のジャイアント企業として君臨するグーグル。その将来は盤石に見えるが、広告収入という一本柱では経営リスクが伴う。グーグルが今、自動車やロボットなど全く違う分野に取り組んでいるのは、新たな収益基盤を模索しているためだとも考えられる。

グーグルが昨今力を入れているのは、法人向けの「Google Cloud Platform（ＧＣＰ）」。同社が持つ巨大なＩＴインフラを、顧客企業にクラウド上で提供するサービスだ。個人向けサービスの印象が強いグーグルにとっては新たな展開だと言える。

インターネットが普及したことで、私たちは以前と比較にならないほど大量の情報にアクセスできるようになった。今では、ある日突然知らない場所へ旅行に出かけても、自分のスマホがネットにつながっていれば、おいしいお店や興味深い名所、快適なホテルへ簡単にたどり着ける。インターネットのなかった時代を生きた経験がはっきりとある、おおむね40代以上の人にとって、これは驚くべき社会の変化だ。

しかし、もしもネットの情報検索サービスがなければ、私たちは大量の情報に埋もれてインターネットをそれほど便利だとは感じないだろう。ネットの情報検索サービスで世界シェア約９割のグーグルは、その独占的な地位で公平な市場競争を阻害しているという批判も昨今高まっているものの、21世紀社会に対して計り知れない貢献をしてきたのも事実だ。

Chapter6

ＡＩ・デジタル業界の仕事人たち

I

AIエンジニア　ジャパニアス　吉居 果保さん

――AIをはじめとする先端ITを駆使して社会問題の解決を志す

社会人1年目で人気のAIエンジニアに

10年後の2030年には国内で50万人以上も不足するというIT系専門人材。経済の発展はもちろん、貧困や格差の解消、自然環境の保護など世の中が抱えるさまざまな問題を解決するためにはITの力が欠かせない。優秀なIT人材になれば、社会に貢献できるという仕事のやりがいをはじめ、好待遇も期待できる。さまざまな職種があるが、採用市場で今最もニーズが高いと言っても過言ではないのが「AIエンジニア」だ。抜群の人気を誇るが、簡単にはなれないこの仕事に社会人1年目でついた女性がいる。ジャパニアスの吉居《よしい》果保さんだ。

彼女は信州大学の教育学部で数学を専攻した。

「算数の先生をしていた親の影響もあったのか、子どものころから算数が好きでした。教員になることも視野に入れ、大学では教育実習にも参加しました」そんな吉居さんが、なぜエンジニアという仕事にたどり着いたのか。「子どもたちを前にして教壇へ立ってみて、人に教える仕事をするより自分はまず、社会に出ていろいろな経験を積み勉強すべきだと思いました。最近は小学校のプログラミング必修化などITの重要性が広く唱えられています。世の中で情報技術がどのように利用され、役立っているかをまず自分が実感してこそ良い教育ができると思い、社会経験を積んでから教員になるのもよいと考えるようになりました」

教育関連に絞らず就職活動

教育学部出身とはいえ、教育関連に絞らず就職活動をしたという吉居さん。さまざまな業界の会社を訪問したというが、最後に選んだ1社がジャパニアスだった。

「もともと算数や数学が好きでしたから、ITエンジニアの仕事は自分に向いているかもしれないと考えたのが志望理由の1つです。面接で社長と直接話して入社を決めました。社員1000名以上という大きな会社の社長と一対一で話せる機会はなかなかないと思います。しかも、決まりきった一問一答のようなやりとりではなく、私がどんな人間で社会人になったらどんな仕事や活躍をしたいか、そしてそのためにどんな経験を積み成長すべきか、社長といろいろな話をするなかで自分の考えが整理されました。また、ジャパニアスとはどんな会社で、社長自身はどんな考えを持っているのかをよく知ることもでき、しっかりとコミュニケーションをとれたという実感がありました」

設立約20年で社員数1200名にまで組織拡大した成長企業だから、社歴に関係なく20代のうちから存分に活躍でき、仕事で成長できるチャンスが豊富なことも魅力に感じたという。

プログラミングの知識や経験はほぼゼロ。入社後にAI関係の資格を取得

吉居さんが入社した2020年4月は、新型コロナウイルスが世界で急速に広まり、日本国内では緊急事態宣言が出されていたタイミングだ。数カ月の新入社員研修はリモート実施となった。「同期の仲間たちと机を並べられないのは確かに残念でしたが、朝礼やグループワークなどオンラインでつながってコミュニケーションをとれる機会も多く、心細さはありませんでした」導入研修を2週間行ったのちに技術研修がスタート。ITスキルの基礎と言えるLinuxとJavaを特に集中して学んだ。

「プログラミングに関する知識や経験はほぼゼロ。同期には情報系学部の出身者もいて、分からないところを教えてもらえました。確かに簡単ではなかったけれど、やればやるほど自分のレベルが上がるのはうれしく、将来の仕事にもつながると思うと学びがいがありました」

プログラミングの面白さを特に実感できたのはシステム開発実習のときだったという。

「実際に使える実用的なシステムを開発してみるというテーマでした。自分の書いたプログラムでシステムが本当に正しく動いたときはうれしかったですね。プログラミングは成果が目に見えて分かるため、モノづくりを楽しむ子どものように純粋なうれしさを味わうことができました」

3カ月の研修が終了し、AI研究開発拠点である品川開発センターの新規事業準備室へ配属が決定。5名の同期とともにAIエンジニアとなった。職場に配属されたあとも学習は続く。新人エンジニアとして先輩社員の業務補助を行いつつ、IT資格取得に向けた勉強を続けた。その結果、日本ディープラーニング協会（JDLA）が展開するAI系の主要資格「G検定」をはじめ統計検定2級、Python3

基礎、ドローン検定3級などに合格。

「同じ目標に向け一緒に頑張れた同期の存在があったからこそだと思います。最新スキルを存分に学べるこのチャンスをぜひ生かしたいと意気込みましたし、たくさんの知識を体系的に整理し徹底習得する作業には手ごたえもありました」

AIを活かし、社会問題の解決に貢献したい

入社半年を過ぎ（取材当時）、まさにこれから活躍をしようという吉居さん。仕事で生かすことを前提にさまざまなスキルを身につけたことで、将来のビジョンがより具体的になった。「AIを学び、研究を深めるのも面白そう。けれど私は、実社会のなかでAIを活かし、世の中の難しい問題を解決するような力になれたらと考えています」たとえば、プログラミング力を磨いて優れたシステムを創り上げたり、クライアント企業の問題解決をするコンサルティングを行ったり。ジャパニアスはすでにそういった業務で活躍している先輩社員たちがたくさんいる。自分も早くその一員として確かな成果を残したいと話す。「子どものころから私が算数を好きだった理由は、問題を解けたときのうれしさと、解く方法を考えるときの楽しさがあったからだと思います」吉居さんの目の前に、これから提示される数々の問題は、学生時代に学んだ数学以上に複雑で難解で、解決するのは難しいかもしれない。しかしだからこそ面白いし、仕事として全力で向き合う意義があると言えよう。

吉居 果保（よしい・かほ）

新潟県生まれ。2020年3月に信州大学教育学部を卒業。卒業研究ではプログラミング的思考の育成やフローチャートを用いた教材開発をテーマとした。教育以外のさまざまな業界研究も経てITエンジニアになろうと決めジャパニアスに入社。数カ月の新入社員研修を受け同社のAI研究開発拠点である「品川開発センター」の新規事業準備室に配属されてAI事業を推進するAIエンジニアとなる。入社半年でG検定をはじめ多数の資格を取得し、前向きさや積極性の高さで先輩社員のベテランエンジニアからも一目置かれる期待の新人。

2

ソフトウェアエンジニア　日本コントロールシステム(NCS)　金子 あいさん

――半導体業界に不可欠な『PATACON』研究開発に打ち込む

農学部出身で専攻は食品生物科学。そんな私がIT企業に入社した理由

高校まで過ごしたのは、山口県の日本海沿いの町、萩。理系科目に興味があり、京大農学部に進学して大学院まで進んだ。「専攻は食品生物科学。微生物の栄養代謝などを研究していました。同級生の多くは食品メーカーに就職します」。それなのになぜ、コンピュータ・ソフトウェア開発を手がける日本コントロールシステムに入社したのか。「実は同じ研究室で、当社の内定を獲得した先輩がいたのです。その人は博士課程に進学し実際に入社はしませんでしたが、『とても良い会社だよ』と教えてくれたのです。信頼できる先輩の勧めもありエントリーしました」。研究室にたまたま置いてあった会社パンフを見て社風に惹かれた。「説明会に参加し、そこで会った先輩社員たちを見て雰囲気の良い会社だと思いました。お互いフランクに接していて、先輩と後輩の仲が良い私の研究室に似ていると感じたのです」

一次・二次と選考を進め、好印象は強まった。「生物科学とは異なるIT事業ですが、さほど不安はありませんでした。子どもの頃から自宅にパソコンがあり、大学院の研究ではデータの集計・分析で専門ソフトを使っていました。ITは身近だったのです。あとは入社後に努力すれば何とかなると考えました」

基礎知識
業界の仕組み
キーワード
仕事とキャリア
主要・注目企業
仕事人
業界に入るには

知る人ぞ知るB to Bビジネス。

〝地に足のついた〟特長のある事業に魅力を感じて

「日本コントロールシステムはＢtoＢの企業。だから私も就職活動まで社名を知りませんでした。しかし、半導体の設計工程に欠かせないシステム『ＰＡＴＡＣＯＮ（パタコン）』の開発など、社会貢献度の高いＩＴ事業で長年実績を上げています。確かに一般的な知名度は低いかもしれませんが、特定分野で確かな強みを発揮している〝地に足のついた〟感じが自分に合っていると思いました」

２０１５年４月、金子は約20名の同期と入社した。

「入社後はまず東京・恵比寿の本社で約４カ月の研修からスタート。ソフトウェア開発の基礎から学べる内容でした。私は全くのプログラミング未経験者でしたが、わからないところを先輩社員に質問するとしっかりと教えてくれました」。Ｃ言語の基礎を仲間たちとじっくり学ぶと、最後の仕上げとして「卒業プロジェクト」が待っていた。「実際に動くプログラムを数名のチームメンバーと共同開発し、他のチームと処理速度を競うコンテストがあったのです。とても面白く、今でも印象に残っています」

ゲーム感覚で楽しめたプログラミング実習。4カ月研修を経てソフトウェアエンジニアに

プログラミングスキルをチームで競うコンテストは、研修終了間際に全員で盛り上がった一大イベント。「開発したのは商品の注文処理システムです。大量に寄せられる注文を最も正確に高速処理できたチームが優勝。結果は2位でしたが、ゲーム感覚で楽しめました」。その他にハードウェア開発実習もあった。「何でもよいから『好きなモノをつくる』というテーマ。回路設計からハンダ付けまで全部自分でやりました。私がつくったのは簡単な数字ゲーム。自分でICを買ってきて、納豆かき混ぜ器をつくった人もいましたよ。未経験で最初は苦労していても、先輩のサポートを受けながら最後は全員が完成にこぎつけ、モノづくりの楽しさや達成感を味わっていました」

約4カ月の新入社員研修を経てITエンジニアの基礎を習得した金子は、日本コントロールシステムの主力製品「PATACON（パタコン）」の研究開発部門に配属された。勤務地は新横浜事業所。首都圏で暮らすのは初めてだったが、新横浜駅前という好立地で便利なこともあり、新生活にあまり不安はなかった。同期も数名同じ事業所に配属され、いつも近くに仲間がいたので心強かった。「初配属から今日までの約3年半（取材当時）、一貫して『PATACON』の研究開発に関わっています。バグ修正などの初歩的な業務に始まり、既存機能改善や新機能追加に向けたプログラミング、システムの要件定義や基本設計、専門の知識・技術を生かしたお客様への製品提案まで本当にさまざまな仕事があります。本人の適性に合わせて担当業務を任され、先輩社員の指導を受けながら成長していきます」

研究開発から顧客折衝まで幅広く活躍。海外メーカーへの出張や米学会への出席も

入社3年目の春、金子はある重要ミッションを任

された。「PATACON」導入を検討している海外大手半導体メーカーへの製品デモンストレーションだ。「設計業務をどこまで効率化できるか、そのシミュレーション成果をお客様に提示するためです」。お客様との会話は英語。直前に英語学校の特訓コースを受けて出張に臨んだ。

「最初の評価は『まずまず』。求められるパフォーマンスを出すには、製品の機能やプログラムの改善が必要でした」。与えられた複数の課題を日本へ持ち帰り、部署のチームメンバーたちと話し合ったうえでさっそく改善に着手。帰国後何カ月も試行錯誤を重ねた。そして約1年後の春に、金子は再び顧客を訪問してデモを行った。「その時、お客様から『Impressive!（素晴らしい！）』という一言をいただきました。心からうれしかったです」。製品の本格導入に向けた大きな一歩だ。「海外に『PATACON』の価値を広め、世界の半導体業界に貢献することが目標です」。金子の海外出張は今後さらに増えそうだ。近々アメリカ出張を予定している。「学会で研究発表を行う先輩社員に同行します」。そこはまさに、海外一流の研究者やエンジニアが集う場所。そのうち金子自身も、世界が注目する学会発表のステージに立つかもしれない。確かに、まだ少し遠い。しかしその日は、着実に近づいている。

金子 あい（かねこ・あい）

1990年、山口県萩市生まれ。萩高校卒業後、京都大学農学部へ進学し、同大学院農学研究科修了。2015年に日本コントロールシステムに新卒入社し、同社製品「PATACON」の研究開発に従事する。趣味は休日のハイキングと料理。会社の先輩・同僚数名と富士山登頂にも成功。「人間関係の良さと、確かなキャリアを積めることが当社の魅力。子育てしながら仕事で活躍する女性先輩社員たちの存在が励み。プライベートと両立させ、エンジニアとしてこの先長く頑張りたい」

Chapter7

ＡＩ・デジタル業界に入るには

I

今後も優秀な人材は引く手あまた

ＤＸ推進も相まって　ますます深刻化する人材不足

ＤＸ（デジタルトランスフォーメーション）というキーワードが２０２０年にはビジネス界を中心に浸透した。ＤＸとは、ＩＴ・デジタル技術を活用して企業のビジネスモデルや業務プロセスに大きな改革を起こし、さらなる収益拡大や事業成長を実現すること。アマゾンやアップルなど日本人の生活にもすでに大きな影響力を持つ海外の巨大企業は、ＩＴ・デジタル分野の最先端技術を駆使してビジネスを展開し莫大な収益と成長力を保持している。アメリカや中国の巨大ＩＴ企業が注目を浴び、世界規模で経済的にも社会的にも存在感を高めるなか、日本企業は後塵を拝している感が否めない。ＩＴ業界以外の民間企業や官公庁もＩＴ活用が充分には進んでおらず、日本経済の成長を停滞させる遠因にもなっている。

２０２０年発足した菅政権ではデジタル庁の創設が目玉政策となったり、民間においては大手・上場企業を中心にＤＸを推進しようという動きが活発になっていたりする。着々と普及が進む次世代の通信規格「５Ｇ」の開発において日本勢はリーダーシップをとれなかったが、10年後の「６Ｇ」こそは官民連携して世界でリーダーになろうと取り組む動きもある。

社会のＩＴ活用を推進するうえで、欠かせないのが優秀な人材だ。日本の労働市場では以前から久しくＩＴ人材不足が叫ばれていた。２０１０年代にはクラウドやＡＩ（人工知能）、ＩｏＴ（モノのイン

あなたが最も輝ける業界はどれか？（おおまかな分類）

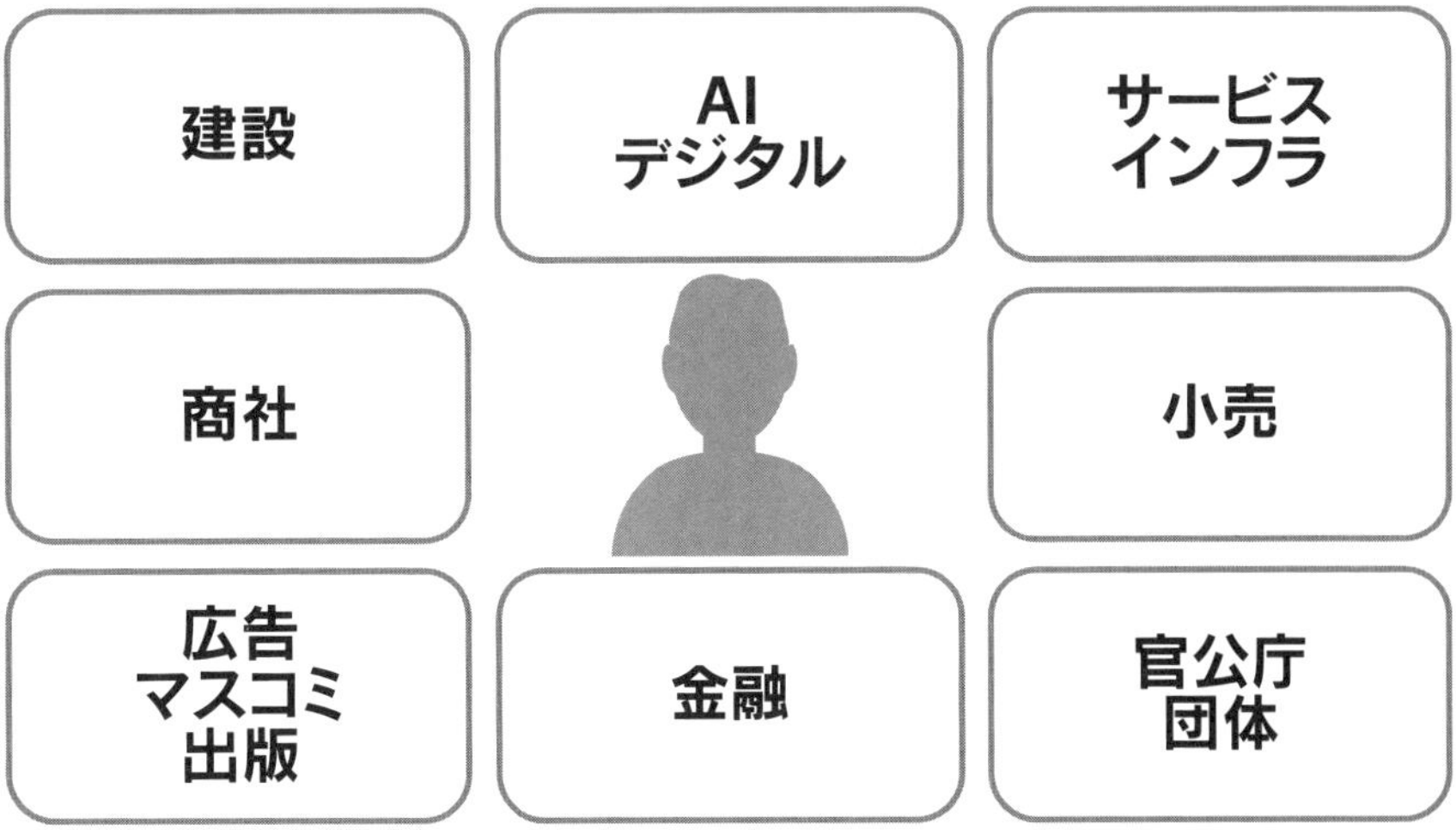

ターネット）など新たな技術分野が注目され、人材不足はさらに加速。２０２０年に入って5GやDXなどさらに新しいテーマが登場し、ますます多くの人材が求められている。優秀な人材は引く手あまたで、採用マーケットにおいても特定の人材にオファーやスカウトが集中する状態となっている。

業界や職種の研究を進めて、自分に合った仕事を見つけよう

ＩＴ人材と一言でいっても「ＡＩ・デジタル業界の仕事とキャリア」で説明しているように、実際にはいろいろな職種がある。ＩＴ系職種というと、一般的にはプログラマーやシステムエンジニアといった仕事を思い浮かべる人も多いが、決してそれだけではない。

また、ＩＴ人材が活躍できるフィールドはＩＴ企業やシステム開発会社だけではない。ＤＸが注目されるなか、ＩＴに強い人材を自社へ囲い込もうとする一般企業が増えている。ビジネスに必要なシステム開発といえば、以前は「必要なときだけシステム

開発会社に依頼すればよい」という外注の発想が強かったが、そういった認識も見直されつつある。経営や営業部門、管理部門などにもITに精通した人材がますます必要となり、これからは情報システムにおいても自社でエンジニアを積極採用し自前で開発しようとする会社が増えるだろう。

プログラマーやシステムエンジニア、プロジェクトマネージャーなど技術系の専門職を目指すなら、人気企業を目指す場合は大学で情報系を専攻するなど、社会人になる前から学んでおくほうがやはり有利だ。大手企業や成長力のある注目のITベンチャー企業などは、新卒採用の際も専攻や学業成績、ゼミでの活動などITやデジタル系の素養があるかを重視する傾向がある。ただ、情報系専攻ではなく他学科や文系学部からも積極的に採用し、入社後にエンジニアへ育成していくという会社も多く、一概には言えない。応募する際には会社ごとに募集情報を調べてみることが大切だ。

プログラミングなどの専門技術やIT系の知識がなければ、IT人材を目指せないかといえば決してそんなことはない。技術やシステム開発に直接関わりたいというエンジニア志向ではなく、ITに関するビジネスの企画や提案をしたいという人なら営業職やコンサルタントがおススメ。システム開発など技術的なモノづくりもあれば、映像や画像、テキストなどコンテンツ制作系もあり、クリエーター系職種を目指すという方向性もある。業界や職種に関する研究を進めれば進めるほど視野が広がり、「こういった活躍のしかたもあるのか」「こういった活躍の場もあるのか」という気づきを得られやすい。

2 ＡＩ・デジタル業界の新卒採用について

採用スケジュールは例年通り

希望どおりの会社に入社できるか、興味のある仕事・職種につけるかは、本人の実力や努力はもちろんのこと、いつ就職・転職活動をしたかにも左右される。転職活動に関しては、自分自身で時期を選ぶことも可能だ。「今年はよい転職先が見つからなかったので転職を見送ろう」とか「今年は景気がよく、求人を行っている会社も多いので転職活動してみよう」と考えて計画を立てることもできる。しかし、新卒に関してはそのようにいかないのが現状。新卒タイミングでの就職機会を逃すのは非常にもったいないことだ。

日本において学生は学校を卒業してからではなく、卒業見込みの段階で就職活動を行うのが、いまだに慣例となっている。２０２２年卒の新卒採用に関しては、２０２０年３月より学生から企業へのエントリー開始、６月から試験・面接開始という前年からのスケジュールは変わらない見込み（２０２０年12月末現在）。企業が内定を出す時期はまちまちだが、実際には、４月や５月の時点で内々定を出す企業も少なくはなく、６月時点で就職希望の学生の約半数が内定を持っているとも言われている。来期の２０２３年新卒以降も、このスケジュールに大きな変更はないだろう。

多くの企業が優秀な学生に早く内定を出して人材を確保しようとするため、結果として人気企業の募集や採用選考は早めに終了してしまう。６月には内定を獲得するつもりで早期に就職活動をするのがよ

新卒採用活動スケジュール（2022年卒）

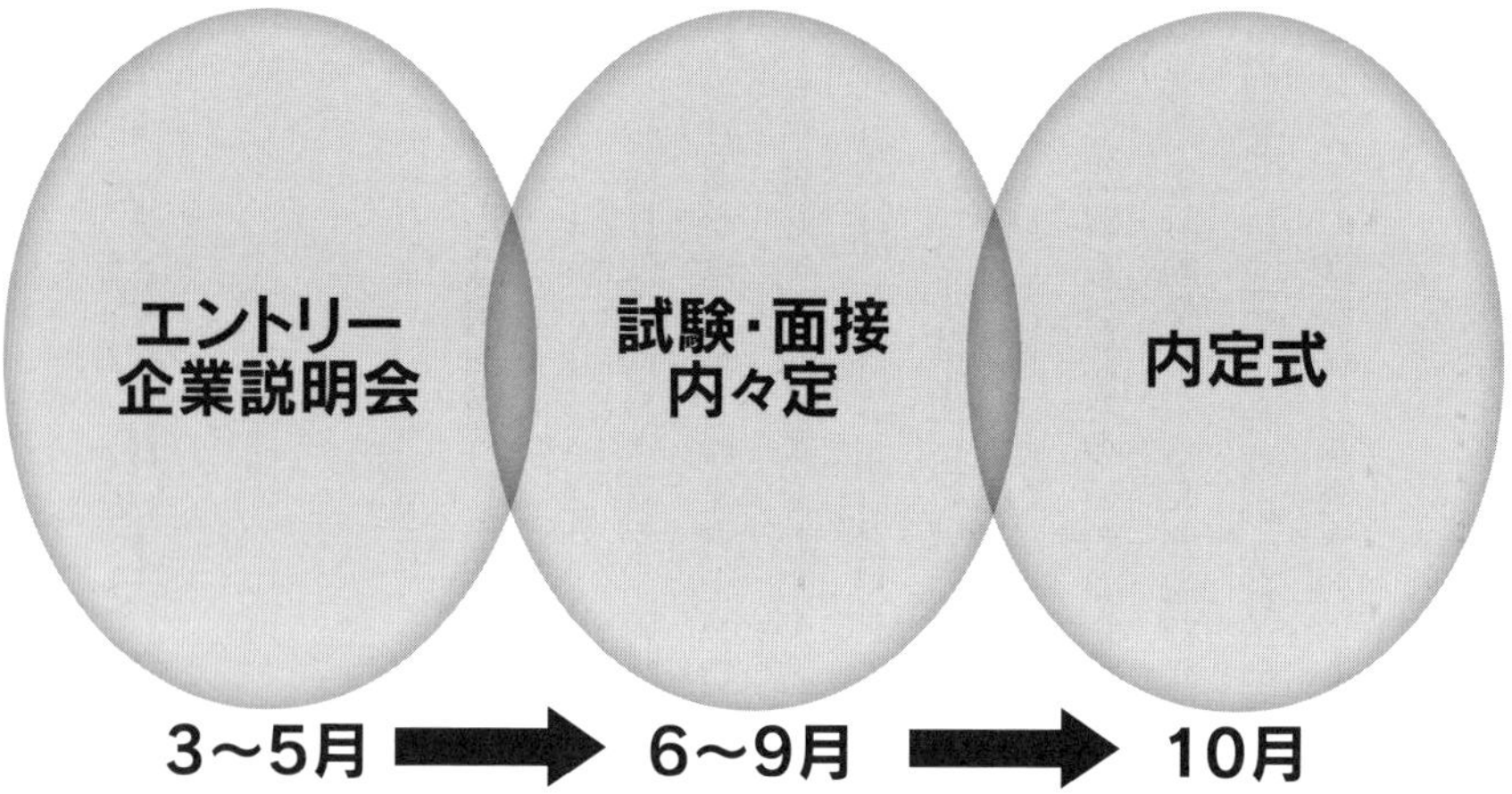

いだろう。エントリーがはじまる3月から6月の4ヵ月間は、就職活動を満足いくように行うため綿密にスケジュールを立てることが大切だ。

本来であれば学校を卒業したあと、自分の好きなタイミングで就職活動ができるほうが、学生にとってはよいのかもしれない。しかし、今のしくみであれば大半の学生が卒業前の段階で就職先を決定でき、卒業してから無職になったり、定職につかないまま就職活動期間を長引かせたりすることがないというメリットもある。

よいか悪いかの判断は別として、日本の就職活動はいまだに大学受験と一緒で、多くのライバルたちと同じ時期に一斉に行う。だからまず、受験勉強と一緒でしっかりとスケジュールをおさえ、前もって準備しておくことが重要だということになる。

外資企業や中小ベンチャー企業、IT企業では前年の冬から内定を出すケースも多い。優秀な学生ならゴールデンウィークあたりですでに内定を持っていると考え、どの企業も早く内定を出したがるのが一般的だ。その一方で、自社にマッチした人材を確保できるまでは採用活動を継続して行うという企業も以前よりは増えつつある。就活スケジュールには個人差があり正解はないのだが、とはいえ自分はどのようなスケジュールで活動を進めるかを早い段階からよく考えておくことは大切なことだ。

コロナ禍により突如普及したオンライン面接

２０２１年の新卒採用では、かつてない大きな動きがあった。オンライン選考が普及したことだ。きっかけは言うまでもなく新型コロナウイルスの感染拡大。日本国内で緊急事態宣言が出された4月と5月は、２０２１年新卒学生の採用活動時期とバッティングし、外出が規制されるなか対面での会社説明会や先輩訪問、面接はおおむね中止となった。代わりにオンラインでの説明会や面接が行われた。従来のように対面での採用活動ができなかったため、採用がうまくいかなかったと答える企業も多かったが、予定どおり採用人数を充足した企業も少なくはない。

コロナ禍がきっかけとなり、採用活動のオンライン化が驚くほど一気に進んだ。２０２０年末時点でも新型コロナウイルスの感染拡大は収束する見込みが薄く、２０２２年卒の採用活動も引き続きオンラインを中心に行われることは間違いないだろう。これまでの就活にはなかったオンライン対策がポイントとなってくる。会社説明会も面接もオンラインで行われるため、オンラインでのコミュニケーションに慣れておくことをはじめ、情報収集や自己ＰＲ、内定に向けた企業とのやりとりも、オンラインでスムーズに行えるよう早めに準備しておく必要がある。

時代を遡ると、今から約60年前の高度成長期は、学生の就職活動といえば学校からの推薦が一般的だった。１９７０年代から就職活動の自由化が徐々に進み、１９８０年代後半以降のバブル期には大卒学生を中心とした超売り手市場となる。さらに大きな変化のきっかけとなったのはインターネットの普及。就職活動の際、それまではハガキによるエントリーが一般的だったが、１９９８年ごろを境にＷｅｂエントリーがはじまり、現在では当たり前となった。特定の大学・学校の学生に就職・選考の機会が限定されることはなく、インターネットを通じて就職情報がオープンになり、現在では多くの学生にチャンスが幅広く与えられるようになったと言える。

大手・上場企業や人気企業に入社するためのハードルは昔と変わらず高い。しかし、中小・ベンチャー企業も含めれば就職情報を見つける機会は以前に比べて大幅に拡大。コロナ禍によって普及したオンライン選考では、距離のハードルがなくなり、今までは不利とされていた地方の学生も採用活動を進めやすくなったとも言える。

ネットだけの情報収集に頼らない入念な就職準備

社会人になって企業で働くなら、学生のうちに一度しっかりと就職活動することをおススメしたい。学校を卒業した後、正社員や契約社員にはならず、まずはパートタイムやアルバイトで働くのも、目的があるのなら決して悪くはない。しかし先にも述べたとおり、日本では多くの人が学生のうちに就職先を決めるのが慣例。企業も毎年春・夏一斉に新卒採用を行う。たくさんの企業と出合い、面接を受けられるという人生に一度きりのチャンスなのだから、それを有効活用しないのはもったいない。

学生のうちに一度しっかりと就職活動することを勧める理由は、もう1つある。学校を卒業して社会に出ると、たとえフリーターとして働いていても仕事や用事で何かと忙しい。しっかり腰を据えて就職活動しようとすると、どうしてもたくさんの時間と労力が必要になる。だからこそ、比較的時間がある学生のうちにインターンシップに参加したり、自己分析や業界・企業・仕事研究を行ったり、たくさんの面接を受けたりしておくのがよい。学生時代にいろいろな企業を見て回ったり、社会人の先輩たちと接したりした経験は、社会人になった時の自信につながる。就職活動をすること自体に価値があるのだ。

今はインターネットでの就職活動が当たり前の時代となり、ネットから簡単にたくさんの企業にエントリーできるようになった。また、企業に関する情報も簡単に入手可能だ。しかし、ネットに出ている

就活の前年にやるべき５つのこと

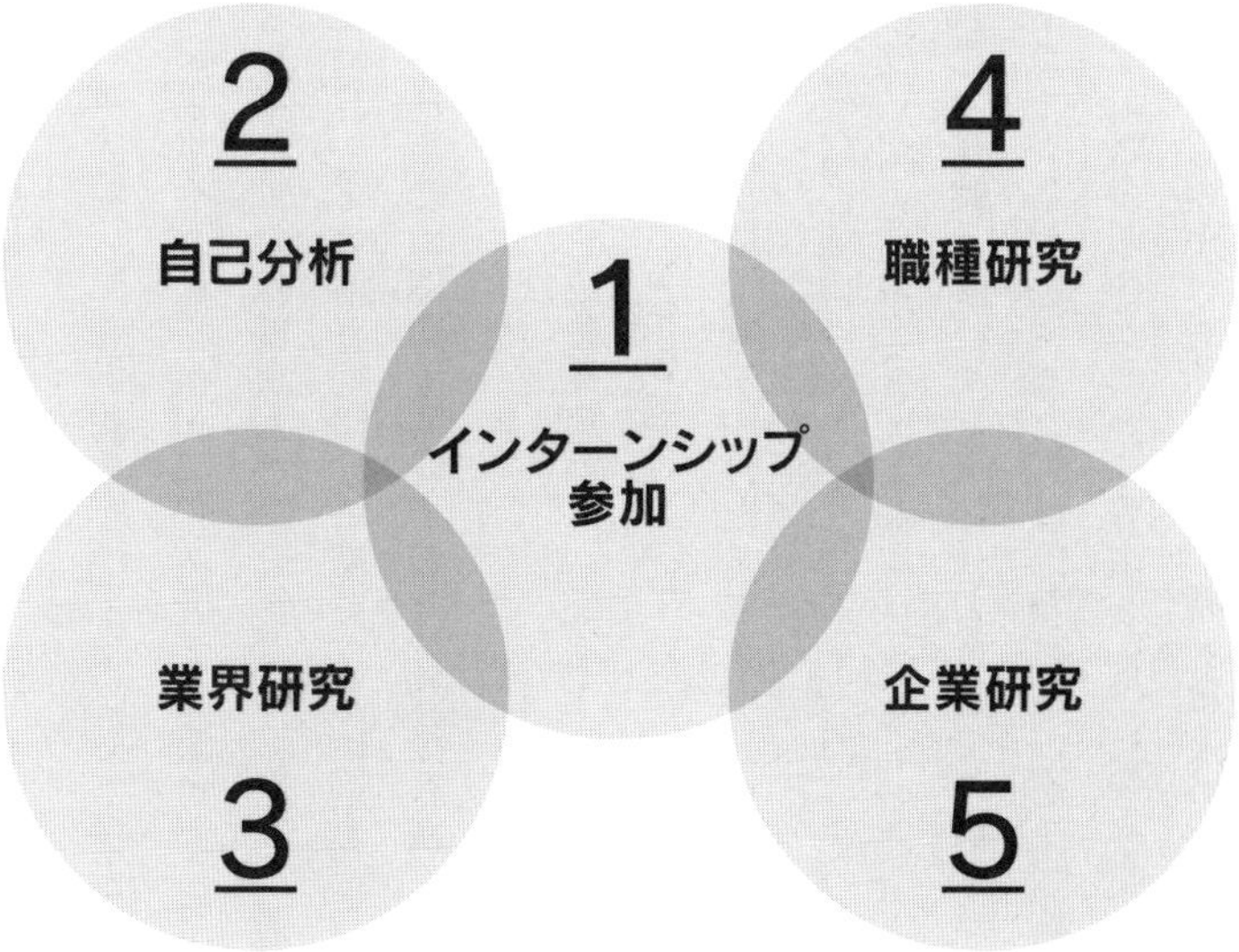

情報が全て正しいとは限らないし、ネットに載っていない情報もたくさんある。新しい情報を大量に素早く得られるのはネットの利点だが、採用担当や先輩社員、経営者の話を聞いて理解し、それについてしっかりと考えを深めるためには、ネットだけだと不十分だ。大学の勉強と同じく書籍を手にとったり、インターンシップや会社説明会、就職イベントに参加したりして、いろいろなチャネルから情報を入手し、そのなかから本当に必要な情報を選んで活用しようという姿勢を持たなくてはいけない。また、時には情報収集をやめ、人の考えや意見に頼るのをやめて、自分の頭だけで冷静に考える時間も必要だ。

売り手市場の今、たくさんの企業から声がかかり、それに対応しているうちに自分が本当に選ぶべき1社を見失ってしまうこともある。ネットの情報や、人から聞いた噂に惑わされてしまうこともある。しかし、事前準備をしっかりと行い、真剣に就職活動へ取り組んでいれば自信が湧いてくる。最後の1社に出合うまでの根気が生まれる。

新卒の時だけで、会社・仕事探しを終わらせるのはもったいない

ＡＩ・デジタル業界は深刻とも言える人材不足が続く。転職サイトｄｏｄａ（デューダ）が発表した２０２０年11月の転職求人倍率によると、ＩＴ・通信関連は５・２２倍と突出して高い求人倍率となっている。長年この傾向は続いており、今後も続くだろう。

多くの企業が新卒採用だけでなく、中途採用（キャリア採用）も積極的に行っている。20代の若い人であれば前職で身につけたスキルや技術、知識を問われない、いわゆる「第二新卒」として、業界経験がなくても採用される可能性は高まっている。しかし、未経験とはいっても社会人としての基本マナーやコミュニケーション力は問われるのが第二新卒。なぜ転職するのかという理由も、学校を卒業したら就職するのが一般的な学生の時とは違い、採用担当が納得する、より明確な内容が必要だ。

経済産業省の「ＩＴ人材の最新動向と将来推計に関する調査結果」によると、業界の人材不足は今後右肩上がりで拡大していく見込みだ。つまり世の中の景気・不景気に関係なく常に人が足りない状況はあり、今後も深刻化するため、今でなくてはと焦る必要はない。ただし、どうしても入社したい会社が決まっているなら、その会社の採用情報は常にチェックしておいたほうがいい。ＡＩ・デジタルに興味があるなら、ＩＴ企業に転職するより、社内の情報システム部門やマーケティング部門に「社内転職する」のもおススメだ。

学校卒業とともに就職した会社に、引退する日まで勤め続けるという人生プランは素晴らしい。従業員と会社との信頼関係が何十年と長く続くことは、従業員にとっても、会社にとっても幸せなこと。しかし、従業員と会社はあくまで契約により結ばれた関係だ。お互いに求める条件が合わなくなることもある。会社に依存せず転職も視野に入れながら、自分のキャリアは自分で構築するほうが幸せだという人も多いはずだ。

今いる会社を辞めたくなったので、そこから転職

活動をするというのではある意味遅い。今の職場で全力を尽くしながら、業界・企業・仕事研究を進めて機が熟した時、たとえばもっとハイレベルな仕事に挑戦したくなった、別の環境でもスキルを生かしたくなったタイミングで転職するのが理想形だ。今いる会社の職務を全うしながら社外にも視野を広く持ち、業界や企業、仕事に関する知識をさらに深めたり、人脈を広げたりする努力を怠らなければ、活躍のフィールドはもっと大きくなる。学生時代に行った業界・企業・仕事研究は、社会人としてキャリアを築く土台となる。

IT人材の不足規模に関する予測

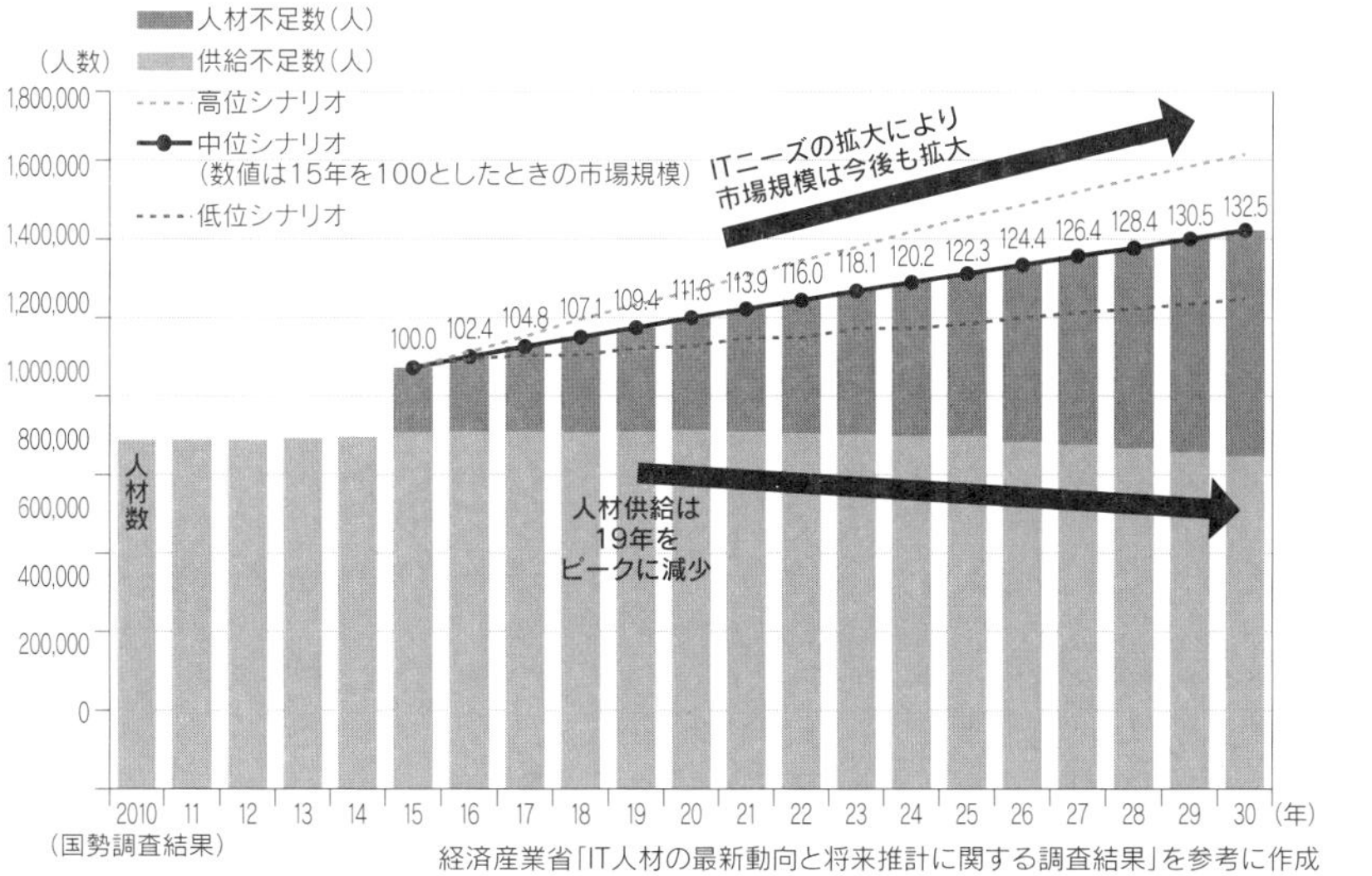

経済産業省「IT人材の最新動向と将来推計に関する調査結果」を参考に作成

【著者紹介】

AI・デジタル産業研究会

AI・デジタル業界の企業や職種に精通している、人材業界出身のコンサルタントやライター、編集者で構成している研究グループ。各メンバーが十数年の経験を生かして、企業の人材採用支援や執筆活動を行っている。

AI・デジタル業界大研究

初版 1刷発行●2021年 2 月25日

著　者

AI・デジタル産業研究会

発行者

薗部 良徳

発行所

㈱産学社

〒101-0061 東京都千代田区神田三崎町2-20-7 水道橋西口会館

Tel.03（6272）9313　Fax.03（3515）3660

http://sangakusha.jp/

印刷所

㈱ティーケー出版印刷

ISBN 9784-7825-3554-7 C0036